taste in décor

an italian experience

taste in décor

an italian experience **in décor**

Gambero Rosso®

STARWOOD

HOTELS & RESORTS WORLDWIDE, INC.

Via XX Settembre 98/E, 00187 Roma, Italia
T. +39 06-47091 F. +39 06-4747307
starwood.com/italy

Voi, insieme a noi, protagonisti di un evento

Festività, ricorrenze, o semplici ricevimenti impegnano spesso la nostra creatività: l'idea, l'organizzazione, il menu, l'allestimento, sono tutti dettagli che rendono un evento unico, dalle piccole alle grandi occasioni.

Un evento unico diventa un'esperienza, un'emozione che raggiunge i nostri sensi e soddisfa le nostre aspettative e diventa così indimenticabile.

Nel progettare questo libro abbiamo voluto raccontare quello che creiamo all'interno dei nostri grandi alberghi in Italia per alcune ricorrenze speciali, dal Natale alle feste a tema, tenendo in considerazione la bellezza delle nostre "case", che accolgono ospiti da tutto il mondo, la tradizione del luogo, le differenze culinarie e l'esperienza delle persone dedicate, che rendono ogni evento unico.

Abbiamo voluto raccontare cosa succede a Roma, a Firenze, a Milano, a Venezia, a Venezia Lido, ad Asolo e in Costa Smeralda, attraverso degli eventi particolari: Natale, Capodanno, San Valentino, Pasqua, feste d'estate o feste a tema, sono solo alcuni degli esempi di occasioni che ci vedono protagonisti nell'organizzazione con le persone che rendono il tutto possibile grazie alla loro passione e dedizione.

Un viaggio, dunque, alla scoperta di tradizioni, piccole o grandi realtà, attraverso stili e abitudini diverse in giro per l'Italia, alla scoperta di stili differenti di vita.

Una serie di momenti dedicati a ciascuno di noi, che si alternano nel corso delle stagioni, creano emozioni e lasciano ricordi.

Una magia che potrete portare a casa con voi per ricreare momenti indimenticabili.

Sfogliando questo libro farete, così, un viaggio in alcuni dei migliori alberghi italiani dove forse siete già stati o avrete voglia di andare per vivere la magia delle grandi occasioni.

O forse vi ispirerete ai nostri suggerimenti per le occasioni che voi stessi vorrete organizzare e vi divertirete a ricreare delle atmosfere particolari.

Un grande entusiasmo e un grande impegno
hanno permesso la realizzazione di questo
nuovo libro, insieme alla professionalità
e alla grande esperienza del nostro editore
Il Gambero Rosso, con il quale abbiamo già
realizzato due volumi di successo in cui
la cucina dei nostri chef, in Italia e in Europa,
Africa e Medio Oriente è protagonista.
Questo volume nasce così sulla scia
del successo di "Taste in Style":
ora il protagonista è il décor in un viaggio
attraverso l'Italia, per raccontare il significato
delle varie occasioni nelle singole realtà
per un'esperienza tutta italiana.
Momenti speciali da assaporare e vivere
nei nostri splendidi alberghi, dove il colore,
lo stile tipico di ciascuna realtà, le tradizioni,
insieme all'esperienza delle persone speciali
sono protagonisti.
Persone che spesso lavorano dietro le quinte
ma che sono indispensabili per la realizzazione
di tutto questo, che sia in un grande albergo
o in casa propria, per il loro impegno, la loro
professionalità, la loro dedizione, il loro
entusiasmo.
Un progetto, dunque, che è nato poco tempo
fa e che grazie alla collaborazione di tutti

è stato possibile realizzare con l'intento
di portarvi con noi in viaggio attraverso
le tavole italiane. Ed altri hanno voluto
accogliere il nostro invito a partecipare
al progetto: Abert Divisione Broggi, Amoretti,
Arredi Baxter, Ciaffoni Floral Designer, Marchesi
de' Frescobaldi, P&C Pedersoli, Sanpellegrino,
Schönhuber Franchi, Seemar - Servizio Catering,
Tenuta Villanova, tutte aziende che con i loro
prodotti contribuiscono alla realizzazione
di eventi esclusivi.
Attraverso queste pagine ci auguriamo potrete
vivere un sogno insieme a noi e apprezzare
Taste in décor - an italian experience.

■ Robert Koren
Vice President Regional Director Italy & Malta
Starwood Hotels & Resorts Worldwide, Inc.

Sommario

L'evoluzione dell'eleganza

Una bella tavola apparecchiata, elegante, piacevole nella forma e nei colori inserita in una sala arredata, confortevole, armoniosa nei volumi, piacevolmente avvolgente.

Questo è quel che cerchiamo - e troviamo - oggi. Ma il percorso attraverso cui siamo arrivati a pensare e realizzare questi desideri è parte della storia stessa dell'uomo. Oggetti, modi e convenzioni che oggi ci appaiono scontati o dei quali non ci rendiamo conto, neppure duecento anni fa erano sconosciuti se non addirittura proibiti. L'uomo è cambiato nel corso del tempo e i gusti - il concetto stesso di gusto - di una volta sono oggi improponibili così come lo sarebbero stati, allora, i nostri. E allora, diamo un piccolo sguardo a come sono andate le cose da quando la tavola si trasforma da bisogno per la sopravvivenza a voglia di eleganza e di stile. "Mettere" e "togliere" la tavola sono modi di dire che nascono da gesti primordiali, da quando era sufficiente poggiare un ripiano - una tavola, appunto - su basi improvvisate per poter mangiare. Da quel momento ai primi segni di "civiltà della forchetta", la tavola è diventata la rappresentazione quotidiana dell'ara sacrificale, della sacralità del cibo, ed è posizionata al centro della stanza: la rappresentazione simbolica che voleva un tempo la terra al centro dell'universo. Con il passare lento dei secoli, da rappresentazione sacra e luogo di sacrifici la tavola si trasforma nella quotidianità della mensa domestica e trova sublimazione nella rappresentazione teatrale, si copre di oggetti legati direttamente alla gestione e al consumo di un cibo che non è più solo nutrimento, ma un'occasione in cui poter esibire cultura, ricchezza, potere. A questo punto la ritualità coinvolge anche le fasi della preparazione e dell'allestimento. Siamo d'incanto alla Roma del Periodo Imperiale. Le abitudini morigerate e spartane della storia iniziale della Capitale sono ormai sparite. È arrivata fino a noi l'ampia documentazione delle lunghe serate passate tra musiche, giochi e chiacchiere, distesi sui triclini in una mensa priva di tovaglie e posate, per consumare un pasto molto abbondante, servito su grossi tappeti, in preziosi vasellami d'oro, d'argento e cristalli, esibiti insieme a cibi dalle preparazioni complesse e, ai nostri occhi, piuttosto bizzarre.

Ma ci pensarono i barbari, guerrieri rozzi e incolti, a fermare il piacere dello stare a tavola, aiutati dalle epidemie e da una fame sempre più generalizzata. Cambiano gli ideali e le aspettative: l'imperativo è sopravvivere. Arrivati intorno all'anno Mille, quando la differenza tra i ricchi e i poveri è ben netta e marcata, il cibo diventa espressione di potere, ricchezza e, laddove c'è, è grasso e abbondante: non c'è più spettacolo, narrazione, ma solo ostentazione e grosse pance da riempire. La tavola è disadorna, priva di suppellettili e di qualunque arredo o espressione di raffinatezza: è vestita solo dell'ossessione per il cibo. Le nuove scoperte geografiche, l'apparire delle Repubbliche Marinare, la circolazione delle idee e dei nuovi prodotti alimentari da un continente all'altro hanno dato una spinta fondamentale alle trasformazioni sociali e alla necessità di scrivere un nuovo comportamento legato al consumo del cibo, arricchito negli oggetti e soprattutto nei modi. Si disegna la nuova Europa fatta, questa volta, della distinzione tra "gentiluomo" e "povero disgraziato", dove la ricchezza non è più ostentazione ed opulenza, ma buone maniere, educazione sociale, rispetto della sensibilità dell'altro.

A tavola si va per godere con gli occhi di tavole arricchite da oggetti sempre più preziosi, con il gusto per le preparazioni di piatti sempre più complessi e ricchi, ma soprattutto di attenzione all'estetica e alle nuove regole del vivere civile. Sono proprio le regole del comportamento a tavola le linee che guideranno verso uno stile di vita nuovo, che va da un Rinascimento ancora essenziale ad un periodo nel quale sono ormai apparsi tutti gli oggetti che fanno parte del nostro quotidiano. È grazie a questa evoluzione che Caterina de' Medici porta in Francia le conquiste della gastronomia italiana e le fondamenta per una civiltà della tavola. Nasce il gusto moderno, la codificazione e separazione tra il dolce e il salato è un passaggio molto importante nella definizione dei piatti, i gusti si alleggeriscono, si dissolvono le grasse speziature e le esagerate decorazioni del Seicento, tutto diventa più leggero e delicato sia in tavola che nelle sue rappresentazioni e si chiude l'era del mangiare in modo casuale e nel luogo che più conveniva al momento, dalle camere da letto ai giardini ventosi, dai salottini ai saloni da ricevimento. Ora la tavola si guadagna una sua stanza, sempre e per sempre. Cresce la cultura borghese e la necessità della nuova classe di ostentare il nuovo livello di benessere: si differenzia dall'aristocrazia, ma ne vuole emulare i fasti.

L'immagine del nuovo stato sociale raggiunto passa ancora una volta dalla tavola, che a questo punto è ricca di ornamenti e soprattutto di buon gusto. E deve seguire rigide e precise regole di comportamento: sarà l'800 a stabilire il codice che è giunto fino a noi, a definire i limiti e gli stili, a stabilire quelle norme che, dai primi del '900, hanno coinvolto tutte le fasce sociali. La tavola quindi che, finalmente unificata e con un codice di base comune, è diventata interpretabile e modellabile dagli stili di vita tra i più differenti, protagonista della nostra vita e rappresentata dal gesto più quotidiano fino ai momenti più esclusivi e raffinati. E arrivati ai nostri giorni è di questo gusto raffinato, del piacere di questo nuovo lusso fatto di garbo e misura, che vogliamo parlare. ■

La chiave del successo di un albergo è in gran parte nella qualità del servizio che sa offrire. Questa grande responsabilità è affidata a tutte le persone che lavorano all'interno della struttura, quelle che sono a diretto contatto con gli ospiti e quelle che più silenziosamente lavorano dietro le quinte. Ma tutti sono ingranaggi fondamentali di una stessa macchina. Il buon servizio è fatto di competenza e conoscenze, ma anche di disponibilità e di attenzione e cura verso l'ospite che deve sentirsi sempre al centro del mondo, coccolato e accudito. Il pro-

Dietro le quinte

fessionista dello stile deve saper prevenire i desideri degli ospiti e saperli soddisfare prima ancora che loro stessi ne sentano l'esigenza. Vero è che importantissimi sono gli spazi; sono gli ambienti, le strutture e le atmosfere; sono gli oggetti. Ma la differenza sta nella capacità di utilizzarli: nello stile della preparazione di un tavolo, nella scelta di una luce, nel gesto col quale si porge una tazzina di caffè o nel modo in cui si risponde a una richiesta. Per questo le cose belle vengono identificate giustamente con il lusso, anche se non lo sono a prescindere: lo diventano quando si contestualizzano, quando prendono vita con i gesti e le intenzioni. Insomma, il lusso vero è

armonia e calore

del grande teatro

emozione, rispetto e attenzione, quando tutto quel che accade è in armonia con l'esigenza del-
l'ospite in quel momento e in quel luogo. Il lusso è prendersi tempo, costruirsi i propri ritmi. Il
lusso ha canoni e caratteristiche diverse a seconda delle situazioni e anche delle persone, è fatto
di intelligenza e di esperienza. Il lusso è atmosfera, eleganza interiore, equilibrio. È il perché delle cose. Ecco perché lo stile di un albergo è dato da quella macchina che funziona, silenziosa e rispettosa, senza un attimo di sosta dietro le quinte, alimentata da un piccolo/grande esercito che ren-
de possibile il corretto svolgimento delle attività: sono le persone che lavorano per noi. ■

Ciascun albergo si avvale
del contributo di decine di figure
professionali. La maggior parte
di loro lavora invisibile e discreta.
Molti sono in prima linea.
Ma tutti insieme sono sintonizzati
come gli elementi di una grande
orchestra con il suo direttore,
per offrire il massimo
delle attenzioni possibili all'ospite

Il Vetturiere,
guardiano di casa

Il primo, disponibile sorriso di benvenuto all'arrivo in albergo verrà dal Vetturiere, con la sua immagine austera, importante e rassicurante, davanti al portone d'ingresso dell'albergo. La sua è una figura antica, discendente diretta di quel personaggio che stava a cassetta sulle carrozze e che gestiva il traffico davanti all'albergo. È sempre stato il maggiordomo dell'entrata, il primo rappresentante della casa, e anche il guardiano a controllo dell'ingresso e della privacy quando gli alberghi erano riservati solo ai clienti. La sua divisa ufficiale, la livrea, che oggi ha una funzione decorativa e aiuta a riconoscerlo, una volta serviva anche a incutere timore e, appunto, a farsi rispettare. Anche oggi la sua funzione, discreta e attenta, è quella di gestire il movimento di macchine e persone davanti all'albergo oltre che la privacy degli ospiti: operazione che, visti i tempi, è diventata sicuramente molto più complessa. ▷

Il Front Desk,
le chiavi di casa

È un ruolo a volte bizzarro, quello che riveste chi è all'accoglienza, alias Front Desk. Sono questi addetti che danno materialmente le chiavi "di casa", che porgono il benvenuto, che, a seconda degli alberghi, accompagnano nella stanza l'ospite e ne descrivono tutte le strutture. Ma questo gesto di dare le chiavi li investe, da parte dell'ospite fisso, del gravoso compito di essere responsabili di quelle cose che potrebbero non funzionare come si desidera. Se la televisione non trasmette i canali desiderati, se c'è troppo rumore o poca luce, se una maniglia fa resistenza o l'armadio non è abbastanza pratico, ne dovranno rispondere *quelli del Front Desk*... E da loro poi partirà la segnalazione a chi di dovere per risolvere il problema nel minor tempo possibile.

Il Portiere,
"baby sitter" per adulti

Il portiere, o concierge, è la persona alla quale ci si può affidare perché soddisfi qualunque richiesta. Per arrivare a coprire questo ruolo c'è una sola scuola da frequentare: quella della vita. Al portiere oc-

Efficienza e professionalità sono
le doti più richieste. Il ritmo
e la tempestività negli interventi
da parte dei vari settori fa la
qualità dell'albergo.
E tutto questo presuppone
una buona esperienza ma anche
una grande disciplina.

corre una competenza che si costruisce col tempo, iniziando dalla ga-
vetta, ma che richiede la capacità di sapersi qualificare e migliorare:
deve conoscere le lingue straniere e deve avere una grande capacità
di interagire con ospiti che giungono da ogni continente, che hanno
culture diverse e differenti stili di vita; il concierge deve essere pronto a non sorprendersi mai, qualunque sia la richiesta perché ha un'e-
sperienza internazionale ed è sempre in grado di aprire le porte della città dove si trova. È sempre informato su tutto quello che si vede
e anche su ciò che non si vede, soprattutto, sa risolvere i problemi
pratici: al concierge ci si rivolge per avere le informazioni più semplici, dalla scelta di un locale pubblico a quella dei negozi per lo shopping, dall'organizzazione dei trasporti al consiglio per un parrucchiere
giusto o per uno spettacolo; ma è in grado di trasformarsi in un con-
sigliere anche intimo, un consulente sempre a disposizione. E poiché
la vastità di situazioni alle quali è richiesto di rispondere è talmente
ampia, è anche quella di avere i contatti giusti per tutte le situazioni.
È una delle figure che maggiormente interagiscono con l'ospite del-
l'albergo, un punto di riferimento sicuro… È un confidente serio e ir-
reprensibile, la cui discrezione è al di sopra di qualunque cosa. ▸

L'atmosfera particolare
e irripetibile di alcuni luoghi,
la bellezza delle architetture,
la gradevolezza degli arredi
è sottolineata dall'altra sensazione,
quella che un servizio efficiente
riesce a dare e dell'ambiente
sereno e disteso che accompagna
l'ospite durante tutte le fasi
della giornata.

La governante,
vestale delle piccole manie

Spesso l'ospite di un albergo nemmeno sa chi sia, o non si pone il problema. Molto spesso lungo i corridoi dell'albergo si incontrano discrete, operose persone che riescono a seguire tutti i movimenti degli ospiti senza farsi notare: della governante difficilmente si vede il passaggio. Eppure è una figura di fondamentale importanza per l'albergo. Da lei dipendono l'ordine e la pulizia, dipendono la cura e la freschezza delle camere, è lei che imposta l'organizzazione di tutto quel che occorre al benessere degli ospiti. È una figura silenziosa e nascosta, ma che ha sotto controllo tutti i movimenti, gli spostamenti, gli arrivi e le partenze, le richieste e le lamentele. Se ne ha la possibilità, arriva a sapere tutte le piccole manie, i piccoli desideri, i bisogni e le abitudini degli ospiti, fino ad anticiparne le necessità e contribuisce a fare quell'operazione che è fondamentale per l'ottima vivibilità in un albergo: ricreare il più possibile l'atmosfera di casa.

E l'ospite abituale potrà capire e apprezzare il significato delle coccole e delle cure di una vera governante. Dalla camicia stirata alla smacchiatura, dal modo di fare il letto alla disposizione degli asciugamani, da come mettere in ordine gli abiti a come si può fare o disfare una valigia, è lei che guiderà tutte le operazioni nell'intimità della camera, entrando nella tempistica, nei ritmi e nei modi della vita privata degli ospiti. È quindi alla governante che gli ospiti possono confidare le proprie esigenze e ritrovare, ogni volta, quei piccoli piaceri e le consuetudini che amano.

Il Barman,
psicologo senza laurea

Tranquillo, sempre sorridente, sempre pronto ad interpretare nuove miscele di superalcolici per avventori curiosi o a proporre versioni inappuntabili di cocktail classici, il barman di un albergo sa fare molto di più: ha la capacità di una serenità interiore quasi da maestro zen e di ▷

Tra le figure che sono in "prima linea" quelle a diretto contatto con l'ospite dell'albergo, una delle doti più importanti che devono avere è la capacità umana di interagire tra persone, di sapersi misurare nelle emozioni, e di essere sempre "veramente " disponibili e felici di poter dare il proprio contributo umano alle relazioni che si sviluppano.

fare "amicizia" in qualunque momento. Raccoglie le confidenze di tutti. È una di quelle figure da "prima linea" che funziona bene se la persona stessa ha come sue qualità le capacità di essere riservata e discreta, per guadagnarsi la fiducia e diventare il confidente, quasi l'amico appunto, al quale si possono confidare tutti i pensieri. È un ruolo che così completo, può essere ricoperto solo dal barman che è all'interno dell'albergo, in ambienti che favoriscono il clima di amicizia e confidenza. Ora, anche negli alberghi sta prendendo piede (in aggiunta, mai in alternativa) una fisionomia di bar molto più trendy, più vivace e legato al tempo libero e all'incontro mondano.

Il Maître, direttore d'orchestra

La figura imponente e autoritaria del maître sa muoversi attenta tra i tavoli. Con sensibilità ed esperienza percepisce ogni dettaglio della sala, sfiora i tavoli, i piatti, controlla il vino nei bicchieri, le espressioni dei clienti, il movimento dei camerieri, la successione dei piatti, la tempestività dell'intervento su ogni minimo cenno di richiesta, lo sguardo stesso dei camerieri... Quando la sala del ristorante, questo grande palcoscenico,

tte in scena una delle sue serate migliori parte della riuscita dipen-
dall'organizzazione e dall'abilità del maître di tenere tutto sotto con-
o. Le fasi dell'organizzazione iniziano già quando si fissa la data per
serata, che poi sia più o meno particolare alla fine poco conta: so-
tutte importanti. Come in un grande progetto tutto viene pensato
revisto.

efinisce tutto in base al tono della serata: gli arredi, la formazione dei
oli, la composizione del centrotavola, la scelta delle tovaglie e il nu-
ro dei camerieri. Il menu arriva quasi contemporaneamente, quindi
abilisce la *mise en place*, la successione delle posate in relazione ai
ti, poi i vini in abbinamento, e quindi la scelta dei bicchieri. Ogni pas-
viene studiato e curato nei minimi dettagli. Le indicazioni compren-
o anche informazioni sulla disposizione degli ospiti e, in base alla lo-
qualifica, sull'ordine di servizio.

sala ha ormai indossato il vestito giusto e tutto è pronto affinché la
ta abbia successo. ▸

Il gesto è l'elemento di valore assoluto. Il vero professionista sa trovare l'equilibrio perfetto tra la funzione del gesto e la sua ritualità. Ogni movimento, anche il più semplice e familiare può assumere un significato particolare se inserito, nel momento giusto, all'interno di una scenografia preordinata. A quel punto tutto diventa magico e affascinante.

Il Sommelier,
la guida sicura

È una tra le figure più recenti apparse nell'universo alberghiero. È tecnico che ha studiato e approfondito la sua conoscenza del vino metterla al servizio degli ospiti. Si occupa dei vini, cura la cantina, gli quisti, segue l'andamento delle annate e l'aggiornamento della carta, nosce tutti i piatti proposti dalla cucina e consiglia il giusto abbinam to, asseconda i gusti, propone nuove scoperte, induce in tentazior Quello del sommelier, come guida alla scelta dei vini, è un ruolo che de in campo gli appassionati di questo settore, molto tecnico per c versi, ma che necessita anche di una buona dose di sensibilità per dare le scelte di chi è indeciso. Sa raccontare quello che conosce non ostenta mai la sua preparazione. Si riconosce per la sua divisa e il piccolo stemma che riporta sulla giacca.

Lo chef,
il cuore pulsante

La figura dello chef, oggi, è molto più complessa e completa che passato. È un manager, oltre che un creativo, è una figura spe pubblica che ha i suoi estimatori, un suo stile personalissimo e grande capacità di trasmetterlo. Lo chef sta in cucina, ma non s

per cucinare. In strutture funzionali e complesse come quelle degli alberghi, lo chef è anche un personaggio dal forte carisma con la capacità di gestire il lavoro dell'intera brigata di cucina spesso molto numerosa e soprattutto con il pesante fardello di soddisfare i sogni segreti degli ospiti. Nel complesso dibattito aperto nel campo della gastronomia, la "cucina d'albergo" sta acquisendo una veste completamente nuova, molto al passo con i tempi e in linea con le tendenze del momento, ma anche continuando un percorso che la vedeva disponibile ad amalgamare le diverse cucine del mondo per soddisfare i propri ospiti itineranti. Quella che una volta si definiva quasi con distacco una cucina internazionale, adesso sta virando su un concetto di *fusion* più pensato e consapevole, seguendo comunque un percorso che la vedeva all'avanguardia nella capacità, e nella volontà, di soddisfare qualunque richiesta. ▸

L'ospite, colui che siede alla tavola dell'albergo, non è uno spettatore ma un protagonista fondamentale, con il suo bagaglio di preparazione in termini di educazione gastronomica, con la sua esperienza fatta di tutte le tavole che ha frequentato, di aspettative e desideri e che, in base alla sua sempre maggiore sensibilità gastronomica, contribuisce alla evoluzione della cucina stessa che è fatta di scambi, di richieste e di risposte nell'evoluzione continua interpretata dallo chef. Ma l'ospite di un grande albergo ha una esigenza in più: l'eccellenza.

Il bello e il buono vanno spesso insieme e a volte è anche un piacere per l'ospite vedere cosa accade dietro le quinte. Alcune preparazioni di cucina possono anche essere fatte "a vista"; a volte si possono visitare luoghi sacri, come le cantine che, dotate di un'atmosfera particolarmente piacevole, vengono messe a disposizione per degustazioni o cene dal tono intimo.

il commensale-gourmet e lo chef, così distanti ma così in intimi-
attraverso quello che mangia l'uno che l'altro prepara, c'è una se-
di figure, ciascuna funzionale ad una gerarchia ben precisa che
nsentono la rappresentazione della tavola.
este figure sono particolarmente importanti affinché la comuni-
zione tra i due protagonisti sia fluida e corretta.

Direttore,
drone di casa

sso tra parentesi il lavoro di gestione complessiva che svolge die-
le quinte, uno dei compiti importanti del direttore è quello di in-
ntrare e interagire con gli ospiti, riconoscerli, conoscere le loro
tudini, seguirne le vicende anche quando non sono in albergo. È il
estro d'orchestra, il gran cerimoniere, e al tempo stesso la fonda-
ntale *PRperson*. Il direttore non solo conosce tutti i meccanismi
suo albergo, ma anche quelli degli altri alberghi: è lui che ne cu-
a filosofia e l'impostazione, è lui il garante della continuità e della
erenza nel servizio, lui consente di creare un collegamento tra le
e strutture della Compagnia cui appartiene il suo albergo nella
città e nelle altre, fino ad avere una coerenza nel continente e
mondo. E allo stesso tempo per dirigere le diversità, anche quel-
volute e perseguite. In questo modo l'ospite che viaggia si trove-
sempre a suo agio e in perfetta e già sperimentata sincronia con
pergo che lo accoglie. ■

Non c'è festa, anniversario, ricorrenza che si rispetti che non si consumi a tavola. E una tavola è tanto più importante quanto più sentito è l'evento. Nelle grandi feste, dietro all'evento ci sono professionisti che lavorano al massimo per dare quanto di meglio l'occasione possa offrire agli ospiti e ai commensali: sono come attori che si muovono su un palcoscenico brillante, che ha come scenario città e alberghi meravigliosi. Quinte splendide e cangianti, che accompagnano l'ospite in continue scoperte e in diverse atmosfere seguendo le stagioni e lo spirito della festa. Il Natale, l'evento forse più caldo e intimo, il più familiare, si svolge negli scenari di Roma e Venezia, città per qualche verso "familiari" anch'esse, che con le loro atmosfere riescono a conferirgli quel colore e quel calore particolari che ben lo accompagnano. Capodanno è la festa più scalmanata e coinvolgente cui le città fanno da quinta immensa con le loro occasioni, le vie, i cittadini, le luci e i fuochi: città che si trasformano, che riescono a dare una seconda anima, più vigorosa e frizzante della prima. Insomma, sempre Roma e Venezia, le capitali magiche che regalano emozioni uniche e intriganti come le atmosfere degli alberghi che vi ospiteranno. San Valentino, la festa più giovane, quella di più recente istituzione e che molto si lega ai valori e ai ritmi della modernità, conosce palcoscenici molto attivi in città più dinamiche come Firenze e Milano, dove le radici si fondono alla nuova etica del commercio, dello shopping, della funzionalità regalando scenari più attuali a coccole e a romanticherie. Così Milano sfoggia il suo fascinoso luminoso, mentre Firenze si afferma come il nido più in voga tra gli innamorati. Il Carnevale, invece, festa ritrovata, rinata quasi con un nuovo spirito che lega il bisogno di trasgressione alla necessità del bello, non può aspirare a cornice migliore di Venezia e di Firenze che ancora si impongono con le loro suggestioni e la loro storia. Pasqua, con i suoi profumi di fresco, le giornate che si allungano e i primi tepori, presenta una "nuova" Venezia Lido, città che rinasce al sentore della primavera. E ci fa conoscere la cornice suggestiva di una Costa Smeralda diversa.

La magia

i giorni e le feste

del calendario

Poi arriva l'estate che invita a stare fuori la sera e allora qualunque occasione è da non mancare per fare una grande festa: e ancora la Costa Smeralda forte e selvaggia ma anche mondana e Venezia Lido che ben si offre a fare da cornice alle calde serate di brezza con i magici riflessi delle sue acque. E ancora, ci sono le occasioni particolari, gli incontri mondani, un cocktail originale: ecco allora Milano, capitale dell'happy hour o l'occasione di un incontro ricco di calore e di azzurro del mare in Costa Smeralda. Momenti magici che riescono a fermare il tempo e i ricordi. Come la festa per un amore che nasce, un matrimonio: in Costa Smeralda, immersi nel profumo del mirto e delle essenze mediterranee; ma anche ad Asolo, occasione romantica per scoprire un'Italia sconosciuta e affascinante, tra le ville palladiane e i castelletti di campagna, in case lussuose e di grande spessore immerse tra i vigneti e suggestivi corsi d'acqua. Qui ogni occasione diventa divertimento, benessere e grande godimento in un contesto di relax e di grande classe dove attori professionisti del gusto e del bien vivre sapranno assistervi con discrezione in momenti magici di charme e di tendenza. ■

Natale

È il momento dell'anno in cui si pensa
di più alla famiglia e in cui ci si stringe intorno agli
affetti veri. Tra i tanti modi e i tanti luoghi
dove festeggiarlo, la scelta non può non cadere sugli
alberghi che più ispirano intimità e calore.
A tavola si ritrova il piacere di riscoprire le tradizioni,
magari con un tocco di colore e di divertimento in più.

Hotel Gritti Palace
Campo Santa Maria Del Giglio 2467
Venezia 30124
T. +39-041-794611
F. +39-041-5200942

La musica dei canali
per l'occasione più intima

“... già solo attraversando le sale dell'albergo ci si perde
nella bellezza di cristalli e specchiere, lampadari e appliques settecenteschi
realizzati da Maestri muranesi”

Andare in gondola a Venezia a Natale può essere una delle
esperienze più snob da provare, a condizione di dimenticare
che si tratta di un' attrazione turistica e fare il visitatore davvero:
prenderla al tramonto, impedire al gondoliere di cantare e soprattutto
farsi portare nel dedalo dei canali minori. Questa può essere la vera
esperienza: andare a vedere la città "da dentro" per poter capire
il genio e la follia dei veneziani che hanno costruito la loro città
sull'acqua, e poter toccare, veramente, i gioielli architettonici godibili solo
dai canaletti, corsi d'acqua larghi un paio di metri dove i rumori
arrivano ovattati e sfumati. E lì, tra uno stupore e l'altro, si capirà anche
la differenza di suoni nei quali ci si può cullare: quello musicale dello
sciabordio dell'acqua lungo le mura delle case; quello ritmico del remo
che si tuffa e scivola leggero nell'acqua; quello incalzante dei rari passi
sul selciato; le voci spente che si rincorrono tra le calli. Nell'impatto
con i suoni del silenzio, solo quello delle campane si spande prepotente
nell'aria, sono i "bronzi" del campanile di San Marco nella cui piazza,
in inverno, ci si può immergere senza fretta. ▸

Il grande salone del ristorante del Gritti è pronto per la serata di Natale. La mise en place essenziale ed elegante prevede l'uso del colore rosso nei piatti segnaposto e nei bicchieri per l'acqua.
Le decorazioni sono molto classiche per evocare atmosfere calde e familiari.

Il candelabro ricorda tavole raffinate e con la sua luce contribuisce a rendere l'atmosfera più raccolta. Intorno ad ogni candela una decorazione realizzata con tanto muschio bianco (quello che viene dalla Finlandia e dalla Svezia) poi noci e noccioline fresche, frutti secchi tipici del periodo natalizio, e tanto ribes.

Per dare alla sala un tocco di linea moderna che accompagna il colore degli accessori della tavola, alcune sfere rosse pendono dalle classiche appliques e dalle colonne.
Anche sulla tovaglia, a creare una sorta di continuità tra il candelabro e la tavola, una ulteriore spolverata di colore data dalle noci e dal ribes fresco.

Ecco dunque che sui grandi candelabri appaiono le candele rosse, dove un tocco di gran classe viene dato dalla scelta delle candele stesse, quelle che finiscono con la punta rotonda, come quelle che una volta venivano usate sulle tavole importanti. Anche il solo gesto di accenderle conferisce loro grande dignità e stile.

Anche l'attuale Hotel Gritti Palace, con un'architettura che sente molto del tardo gotico, nasce come palazzo nobiliare verso la fine del '400 e passando di mano in mano intorno al 1800 diventa una sorta di locanda e a prezzi, pare, neppure troppo modici.

Nel 1948 (radicalmente restaurato) diventa un auberge di culto per una gran quantità di rappresentanti di famiglie reali da tutto il mondo, uomini di stato e d'affari, poeti e scrittori, gente dello spettacolo e dell'arte, registi, cantanti, personaggi più o meno pubblici.

A colpire è l'atmosfera intima e riservata di questo splendido palazzo di cui, durante i restauri, sono stati riportati alla luce preziosi elementi architettonici, opere d'arte, affreschi e mobili unici e di grande bellezza.

Nell'atmosfera un po' nobile e un po' snob di una Venezia intrigante e misteriosa, proprio qui al Gritti Palace, tra i primi ospiti importanti ci fu anche quell'Hemingway che nel '50, al ritorno da un viaggio in Africa in cui lo avevano dato per disperso, si raccolse tra Martini, bottiglie di vino e grandi ispirazioni e scrisse, dopo dieci anni di silenzio, *Di là dal fiume e tra gli alberi*, nella suite che poi prese il suo nome. Ma il Gritti non è solo storia passata, anzi.

Oggi è accoglienza di classe e relax, di approdo a chi si vuole fermare anche solo per un attimo. Perché anche le società dal ritmo forsennato come la nostra in alcuni periodi dell'anno si fermano.

E allora val bene rientrare, questa volta via terra, tra sotoporteghi e stretti passaggi a vedere le stesse case, quelle che erano il vanto e lo status symbol dei ricchi commercianti e dei nobili signori, dei veneziani che fondarono la loro lucida follia su basi ben solide, e che seppero comunicare la propria ricchezza e potenza attraverso l'immagine e il miracolo dei loro palazzi.

Per questo ogni piccola zolla rubata alla laguna è stata coperta di architetture importanti, palazzi che sono grandi esposizioni di sé, concepiti per dare ai forestieri ospiti quella sensazione di benessere e fiducia necessarie a portare a termine l'impegno prioritario: gli affari. Ma nei primi dell'800, quando la Repubblica Veneziana autonoma e ricchissima per quasi otto secoli decade, molte famiglie vanno in rovina, molte sono costrette a scappare, si perdono uomini, opere d'arte e il senso stesso della città. Per resistere occorre fare qualcosa, ed ecco che le case nate per sbalordire si trasformano in occasioni di ospitalità per i nuovi viaggiatori.

Questo vale per il Natale, uno dei momenti per fortuna obbligati dal calendario, in cui si riversano i sentimenti più intimi e familiari, e che si possono vivere in grande armonia con l'atmosfera che si respira al Gritti Palace.

Già solo attraversando le sale dell'albergo ci si perde nella bellezza di cristalli e specchiere, lampadari e appliques settecenteschi realizzati da maestri muranesi. Nelle camere, poi, i tendaggi, i copriletto, i parati sono in grande abbondanza di seta preziosa e purissima, filata da antichi telai veneziani e firmata da Fortuny. E il ristorante, il Club del Doge, una tavola raffinata come lo sono le influenze di secoli di Oriente e di Bisanzio, ma in più ricca delle verdure fresche che vengono dall'Estuario, ricca dei pesci e delle carni che sono il vero tesoro della gastronomia veneziana e, soprattutto, ricca dell'amore di chi sta in cucina, consapevole di avere a disposizione un così grande patrimonio da curare, esaltare e offrire a chi ne vorrà approfittare. ■

Petto di Faraona con fegato grasso e salsa di Melangole

Pelate a vivo le arance amare e tagliatele a pezzi; fatele cucinare lentamente in una casseruola con lo zucchero, i chiodi di garofano, la cannella e la polpa di mela anch'essa tagliata a pezzi, portate a cottura. Passate il tutto prima al setaccio e poi al cornetto cinese. Lavate per bene le patate, tagliatele a fette spesse mezzo cm, ricavandone 8 fette. Tagliate delle fette di zucca spesse mezzo cm, ricavate con l'aiuto di un coppapasta 8 rondelle.

Fate sbollentare in acqua e sale sia zucca che patate, poi finite la cottura in padella rosolandole con sale e pepe da ambo i lati.

Cuocete i petti di faraona con sale e pepe, un rametto di rosmarino, 2 spicchi d'aglio schiacciati e 1 rametto di timo: quando saranno ben rosolati e succulenti metteteli da parte. Cuocete le quattro scaloppe di foie gras con sale e pepe in un padellino antiaderente.

Posizionate la zucca sopra le patate, poi il petto di faraona, la chela di astice bollita e sgusciata, quindi il fegato grasso, fermate i 4 elementi piantando un rametto di rosmarino al centro, quindi nappate leggermente con una buona salsa al marsala, abbinate la salsa di arance amare e le verdure bollite condite con olio sale e pepe e terminate con la foglia d'oro. Curiosità: la salsa di melangole, che sono delle arance amare, fa parte di una serie di ricette in voga nel '300, così come la foglia doro era usata a quei tempi come elemento decorativo nel cibo ed era segno di grande prestigio per le famiglie che lo presentavano ai propri commensali.

INGREDIENTI

4	**petti di faraona di 100 g l'uno**
4	**scaloppe di fegato d'anatra di 30 g l'una**
	la chela di un astice bollita
40 g	**di salsa al marsala**
1	**rametto di rosmarino e timo**
2	**spicchi d'aglio schiacciati**
4	**patate di piccole dimensioni**
200 g	**zucca fresca**
40 g	**di legumi di stagione bolliti**
	sale, pepe,
1	**foglia d'oro**

PER LA SALSA DI MELANGOLE

10	**arance amare**
80 g	**di zucchero bianco**
1	**pizzico di cannella in polvere**
1	**pizzico di chiodi di garofano ridotti in polvere**
	la polpa di due mele Golden

Westin Excelsior
Via Vittorio Veneto 125
Roma 00187
T. +39-06-47081
F. +39-06-4826205

Tra culto e storia
un'emozione esclusiva

Proprio lassù, arrivando in cima a quella fascinosa Via Veneto protagonista del jet set internazionale dove l'eleganza sofisticata del giorno fa spazio al dinamico, elettrizzato drink della sera, svetta la cupola dell'Hotel Westin Excelsior, a due passi dalla scalinata di Piazza di Spagna, da Fontana di Trevi, dalla snobissima Via Condotti. Scoprire in questo modo l'albergo costruito agli inizi del novecento, uno dei più importanti, fastosi, storici alberghi della capitale, è coglierlo nel suo aspetto migliore, soprattutto quando la cupola e quell'inimitabile angolo che si protende sulla strada sono elegantemente disegnati con le migliaia di lucine che salutano la vita che si accalca proprio lì sotto dove si annuncia il Natale. L'Hotel Westin Excelsior, in perfetto stile architettonico della Roma *fin de siècle*, con le sue forme Impero e Rinascimento, gli ambienti vasti e lussuosi, gli arredi ricchi di porcellane, i vetri dipinti e le vivaci tappezzerie rappresenta già per se stesso con i suoi colori oro e rosso, le composizioni che annunciano il Natale.

Sono quelli i colori e le atmosfere che si trovano durante tutto il periodo natalizio, dall'8 dicembre al 6 gennaio, un periodo molto speciale per visitare questa città. Non dimentichiamoci, infatti, che siamo nel cuore della cristianità e proprio nei giorni in cui celebriamo l'evento più importante: la nascita di Cristo. Piazza San Pietro è poco distante, coi suoi colonnati ma anche con il gigantesco albero di Natale che ogni anno offre l'immagine di una piazza vestita per l'occasione. In questo periodo, dunque, si respira un'atmosfera introvabile in altri momenti dell'anno e vale la pena approfittarne per entrare nel pieno della sacralità, vivere il suono delle campane, unirsi all'emozione dei tanti fedeli presenti per la Messa più solenne e più suggestiva, quella di mezzanotte. ▶

La sala del Ristorante Doney
si prepara a festeggiare il Natale
con uno stile contemporaneo, in
contatto con una città viva e vitale
e con l'atmosfera intima delle
feste. La leggera struttura bianca
del centrotavola si inserisce
su una tavola ricercata e moderna
mentre drappi di raso rosso
alle pareti riscaldano l'ambiente.
Come stessero dialogando tra loro,
dal caminetto arrivano i raggi
di luce delle tante candele accese.

La preparazione di una tavola richiede gesti precisi. È un ritual che conferisce dignità a ciascun oggetto che viene utilizzato. Tutto è inserito in un ambiente dove le candele riflesse allo specchio, insieme ai rametti di p e alle sfere rosse che si affacciar dalla mensola del caminetto, moltiplicano i simboli del Natale

Questo rito fu introdotto da Papa Sisto III nel 440 che, per devozione all'uso di celebrare la notte di Natale a Betlemme, stabilì di celebrarne una simile a Roma. Ma Roma è una città straordinaria che riesce a passare senza cambiare tono dai momenti di grande spiritualità a quelli molto più laici, perché Natale è anche una festa della città e dei suoi abitanti, con la gente che si affolla nelle strade per la corsa ai regali, le vetrine dei negozi vestite a festa ed è tutto un rincorrersi di quel rosso e quell'oro che da dentro le sale dell'Hotel Westin Excelsior ci proietta fuori, in un accordo gioioso con l'atmosfera che lo circonda. Il rosso delle Stelle di Natale fa capolino nelle case, nei negozi, lungo le strade, dove mercatini e negozi sono stracolmi di inviti per le signore divise tra l'introvabile "pensierino" e l'ultimo ingrediente per i menù che si accavalleranno nei giorni a seguire, tra scambi di auguri ovunque tra la gente e un traffico assolutamente nevrotico. Poi, all'improvviso, magicamente, quando è il momento di mettersi a tavola per la sera di Natale, tutto si spegne e lascia il posto ad un silenzio elegante e ovattato. La grande, bellissima Via Veneto, la strada delle auto di lusso, dei negozi alla moda e dell'eleganza, per una volta cambia pelle e ritrova quella che è l'anima stessa della capitale millenaria, profondamente religiosa e laica allo stesso tempo, con un ritorno agli ideali della famiglia, della festa più intima, dello stare un po' fuori, almeno questa volta,

dal frastuono e dalla folla. E nello storico, grande albergo, i sorrisi diventano più affettuosi, gli auguri sono fatti col cuore, il calore di tutta una città si concentra nelle grandi sale dove anche un caffè preso in compagnia degli altri ospiti diventa più intimo e piacevole.
Dalle grandi vetrate del Doney si può seguire lo spettacolo di questa trasformazione e godere dell'atmosfera di una Roma delicata e silenziosa e seduti ad una tavola elegante e calda; gli ospiti possono finalmente gustare la cucina dello Chef dell'Excelsior.

Sul tavolo la moderna struttura metallica del centrotavola è ravvivata da una spirale di rametti di pino, corteccia e sfere rosse, mentre sulle tovaglie rosse i segnaposti argentati ne riflettono i colori.

Cappone farcito cotto nella creta

Pulite e disossate il cappone, aprirtelo a ventaglio e battetelo leggermente. Tagliate tutti quei filetti di carne che eccedono fino ad ottenere una forma regolare. A parte preparate una farcia tritando quei filettini con i pistacchi, il cedro e i datteri e mescolateli bene con due uova intere, del parmigiano e un po' di pan brioche tritato. Aggiustate con un po' di sale e pepe. Farcite il cappone con la farcia, ricomponetelo molto bene chiudendolo con delle fettine sottilissime di guanciale che hanno anche la funzione di mantenere morbida la carne durante la cottura.

In una teglia stendete la creta (che in casa può essere sostituita da carta da forno) e adagiatevi il cappone profumato con rosmarino, timo, bacche di ginepro, un pizzico di sale e un filo d'olio. Chiudete con la creta (o la carta) seguendo la forma del rotolo di carne e cuocete in forno a 230°C per circa 1 ora e 30 minuti. A fine cottura togliete dall'involucro, gustate tutti i profumi del Natale, e servite in tavola con degli scalogni brasati al vino rosso e patate bollite.

INGREDIENTI

1	cappone di circa 2 kg	20 g	parmigiano
500 g	di patate	2	uova intere
500 g	di castagne		qualche fettina di guanciale
500 g	di scalogno		timo, rosmarino, bacche di ginepro
100 g	di spinaci		
50 g	di datteri	1	bicchiere di vino rosso
30 g	di cedro		
50 g	di pistacchi	20 g	di olio extravergine di oliva
30 g	di pan brioche		
30 g	di spugnole		sale e pepe qb

era della Vigilia sarà un'esplosione di paste e pesci, come vuole adizione, ma è nel pranzo di Natale che si esprimono al massimo mboli della festa con tutti gli ingredienti giusti rielaborati in funzione o stile dell'albergo e della sua tradizione di classe ed eleganza.

Sfogliata di gamberi reali con scamorza affumicata e radicchio giano al Barbaresco ad esempio, può essere il biglietto da visita un viaggio tutto italiano, con il profumo del mare e delle sue e che si lega alla consistenza della terra, del latte e del fumo amini che si accendono per riscaldare le case nei giorni di festa, accompagnato dalla forza di un vino che è tra le colonne nostra enologia. Il cuore delle tradizioni gastronomiche invernali essere rappresentato da *Tortelli di castagne e branzi della Val d'Aosta nduta e funghi porcini*, laddove i funghi, elemento che sottolinea rno, sono inseriti tra castagne e tortelli che, asciutti o in brodo, sempre un elemento dei pranzi natalizi.

viamo poi al piatto forte, il *Cappone farcito con datteri, pistacchi, e cotto in creta, in salsa di spugnole*, perché datteri e pistacchi o considerati una volta un ingrediente molto esclusivo, un lusso otersi permettere solo nei giorni di festa, che arrivava da paesi ni. E poi un trionfo di dolcezze dove *Panettone* e *Pandoro* saranno sto complemento per festeggiare questo importante evento. ■

Capodanno

La festa delle feste per eccellenza: stile, charme e profonde radici sono le linee filosofiche che ispirano gli alberghi dove scegliamo di festeggiarlo. Menu divertenti e frizzanti per superare di slancio la mezzanotte e iniziare con gioia e brio l'anno nuovo.

Westin Europa & Regina
San Marco 2159
Venezia 30124
T. +39-041-2400001
F. +39-041 5233043

Laguna magica
aspettando mezzanotte

" Lo spettacolo del Canal Grande diventa un tutt'uno
con lo scintillio delle sale dell'albergo dove la scenografia è pront
per la serata e ha una dimensione "vera" "

L'entrata più suggestiva, quella che solo i veneziani avrebbero potuto immaginare, si affaccia sulla laguna. Scivolando sull'acqua si apprezza tutto il fascino di un ingresso fiancheggiato dalle due ampie terrazze sul Canal Grande alla fine del suo percorso.

Se si giunge da terra, invece, l'effetto sorpresa è molto diverso, perché dopo aver attraversato le strette calli che ci allontanano dalla folla dei turisti, ci si trova nell'oasi di un campiello davanti ad un piccolo, riservato ingresso. Solo all'interno, finalmente, il Westin Europa & Regina svela tutto il suo fascino settecentesco e i suoi spazi inattesi. L'albergo, che si trova a soli duecento metri da Piazza San Marco, è composto da cinque palazzi di epoche e storie diverse, ben legati tra loro grazie ai molti interventi nel corso dei secoli, che solo alla fine del 1976 sono arrivati a comporre un corpo unico e di grande armonia. Fino a quella data i due alberghi hanno avuto una vita propria. L'Europa, che si chiamava Britannia ed era stato la casa privata della famiglia Tiepolo, è citato nella seconda metà dell'800 in una lettera della moglie di Claude Monet che racconta della vista affascinante che la coppia poteva godere dall'albergo. I celebri infocati quadri della serie di San Giorgio sono stati sicuramente ripresi dalle finestre di questo albergo la cui posizione, proprio dove il

Canale si apre, è così speciale e permette di godere di giochi di luci straordinarie a tutte le ore del giorno. Sempre Monet ci ha lasciato le "sue" vedute della Basilica di Santa Maria della Salute, che si trova proprio di fronte all'albergo, sull'altra riva del Canale, con la scalinata che scende verso l'acqua e che oggi in qualche calda serata estiva trova nuova vita grazie alla passione di estemporanei ballerini di tango, ultima moda a Venezia. ▶

La sala allestita per aspettare
l'arrivo del nuovo anno ha in sé
elementi di preziosità ma anche
una grande semplicità nello stile.

L'ambientazione arricchita dai
musici ben si integra nel contesto
architettonico e nell'atmosfera
di una Venezia sempre pronta al
canto e alla danza, mentre la tavola,
estremamente raffinata, è racchiusa
nei limiti dell'essenziale.

Un pizzico di ironia e di sorpresa per una serata dalla quale ci si aspetta sempre qualcosa di diverso anche se... arriva tutti gli anni. Un cenone opulento propone piatti a base di aragoste, salmoni, anatre, branzini, tartufi e mousse delicatissime e la tavola generosamente allestita è pronta ad accoglierlo.

Come centrotavola uno specchio rotondo fa da vassoio alle piccole candele e ne raddoppia la luce. Vasi di vetro riempiti di cristalli di ghiaccio aumentano le superfici che riflettono piccoli lampi di luce in tutte le direzioni. Sfere di cristallo completano il centrotavola semplice e trendy, ma ricco e luminoso.

Infiorescenze bianche, come
il tessuto che la riveste e fili
argentati danno un tocco
di unicità alla sedia.
Un ventaglio che rievoca i vezzi
del Settecento nasconde
al suo interno il menu della serata.
I calici dentellati dei bicchieri
contribuiscono a moltiplicare
il gioco di riflessi del centrotavola,
che si arricchisce dei colori
brillanti dello stelo.

L'altra parte dell'attuale albergo, quello che si chiamava solo Regina, era stato costruito in un'area in cui erano presenti alcune casette private e una struttura per la costruzione di gondole e nasce come albergo, sempre intorno al 1800, con una caratteristica molto apprezzata già allora: le splendide terrazze dalle quali si gode una vista di struggente bellezza. In più, da qualche anno anche durante i freddi, lunghi mesi invernali si può stare vicinissimi all'acqua perché una delle terrazze, volendo, può essere riscaldata. Un rapporto, questo con l'acqua che lambisce le costruzioni e con le barche che sfiorano le soglie, che è possibile trovare solo qui, a Venezia, una città dove si vive in modo diverso dalle altre, ma al tempo stesso così magica, che sa offrirsi con abiti diversi a seconda della stagione.
Ed è proprio in inverno che si ritrovano i ritmi della città vera e una delle occasioni migliori da poter sfruttare è legata al periodo di Capodanno: all'Europa & Regina si può festeggiare, sentendosi e a ragione, dei privilegiati, gran bella sensazione per iniziare l'anno!

Un momento da vivere in coppia, ma anche con tutta la famiglia, magari approfittando dell'occasione per andare a vedere qualche mostra, di quelle perse durante l'anno e qualche piccolo museo, di quelli meno conosciuti. Gioielli come il Museo delle Icone Bizantine nella Chiesa di San Giorgio dei Greci o il Museo Navale, bellissimo e divertentissimo per i bambini, o Cà Rezzonico con la ricostruzione degli ambienti del '700, o ancora il museo di Arte Moderna di Cà Pesaro.

na visita culturale e l'altra la sosta per la festa del Capodanno
esa ancor più piacevole dai piccoli concerti di musica dal vivo
engono proposti all'interno del Westin Europa & Regina.
iniziare bene la serata l'aperitivo nella terrazza riscaldata
must irrinunciabile, è il piacere dell'attesa fuori dagli schemi,
mento che aggiunge emozione ad un rito che si ripete ogni anno
he per una volta può essere veramente diverso.
ettacolo del Canal Grande diventa un tutt'uno con lo scintillio
sale dell'albergo dove la scenografia è pronta e ha una
nsione "vera". Finalmente, tra atmosfere ovattate ed esclusive,
o dare il giusto spazio alla cucina e alla tradizione gastronomica

veneziana, che pur mantenendo l'altissimo livello dell'albergo di lusso
riesce ad offrire un calore umano, a costruire col cibo un rapporto
quasi più spirituale, in un contesto di festa e di intimità.
Un buffet di antipasti per aspettare la cena, un bianco pianoforte
a coda per riempire l'atmosfera, e poi, a tavola, a godersi tutta l'eleganza
di una cucina dalle connotazioni molto locali ma trasformata
per l'occasione della festa e accompagnata da vini rigorosamente
italiani e veneti. Poi a mezzanotte saltano i tappi dell'immancabile
Champagne e l'anno nuovo sarà accolto con una fumante pasta
e fagioli, il "piatto della mezzanotte" a Venezia e l'immancabile,
scaramantico zampone con lenticchie. ∎

Torre di astice

Tagliate a medaglioni l'astice e
rosolatelo in un padellino con l'olio
ben caldo. Eliminate il grasso di
cottura e sfumate con brandy.
Tagliate a pezzi grossi i funghi
porcini, spadellateli con olio e un
rametto di timo. Salate e pepate.
Nel frattempo mettere a ridurre sul
fuoco la bisque.
Infilzate in uno spiedo i medaglioni
di astice. Bagnate la base del piatto
con la bisque.

Formate un quadrato
di funghi porcini.
Con il pesto di basilico disegnate
una riga fantasiosa.
Decorate con una cips di finocchio.

INGREDIENTI

400 g	di astice	2	cucchiai di olio extravergine d'oliva
2	funghi porcini grossi	2	rametti di timo
2	cucchiai di pesto di basilico	1	cucchiaio da tè di brandy
100 cl	di bisque		sale e pepe

St. Regis Grand Hotel
Via Vittorio Emanuele Orlando 3
Roma 00185
T. +39-06-47091
F. +39-06-4747307

Fascino neoclassico e lusso moderno

Gli ampi spazi dell'albergo
si rincorrono tra interni con soffitti
a cassonetto e ampie scalinate;
un cortile esterno conserva ancora
un'antica e fruttifera vigna;
una preziosa cantina è stata
ricavata su ritrovate mura delle
antiche terme di Diocleziano, che
sono nelle fondamenta dell'albergo.
Nella cantina, in uno scenario
unico si possono anche consumare
degustazioni o cene molto
riservate. Tutto racconta di un
ambiente suggestivo e ricco di storia.

Al St. Regis Grand Hotel di Roma si respira l'atmosfera ricca
del fascino e della vitalità di fine Ottocento, quella della neonata
Roma Capitale che risente delle contraddizioni di una società ancora
poco moderna ma che si proietta in un quadro d'avanguardia e tutto
europeo. L'albergo nasce come *Le Grand Hotel* nel 1894, frutto della
cultura e dello stile di Cesar Ritz, inventore dell'industria alberghiera,
intenzionato a fare del Grand Hotel l'ambiente più innovativo della
categoria. L'intero edificio fu concepito per essere in linea con quella
che allora era la ricerca di nuovi linguaggi culturali e sociali ma anche
di nuovi stili decorativi, un po' nostalgici e un po' all'avanguardia.
Tutta la parte strutturale fu pensata per rendere il soggiorno degli
ospiti confortevole e gradevole, con una grande attenzione ai
particolari e - in linea con la netta trasformazione che stava
avvenendo all'interno della società alle esigenze delle signore.
Proprio nell'andare a rivedere questi dettagli se ne apprezza la grande
classe: il piano nobile - il più importante - con i soffitti molto alti,
le stanze grandi, fu costruito al primo piano, quello più comodo ▸

...sono le feste nei grandi
erghi a rianimare
otte più importante dell'anno... **"**

Il maestoso Salone Ritz è in grado di offrire la giusta atmosfera per una serata indimenticabile in uno scenario mozzafiato. È stato il primo storico salone delle feste inaugurato a Roma e il ricordo di quelle serate in piena atmosfera Belle Epoque ancora volteggia tra gli affreschi di Mario Spinetti, i candelieri in vetro di Murano, gli ampi tendaggi alle pareti.

A rendere veramente unica
una sala delle feste già così ricca
di un'architettura e complementi
d'arredo importanti, dei lunghi
vasi di cristallo sulle tavole
sontuosamente apparecchiate.
I vasi, molto alti, hanno all'interno
un effetto ghiaccio che riflette
le luci e illumina la lunga lancia
rivestita di Asparagus Plumoso
che si allunga verso il soffitto.
Nell'insieme si percepisce l'effetto
attesa per la mezzanotte
che sta arrivando.

da raggiungere in mancanza degli ascensori; i corridoi furono progettati sull'ampiezza dei vestiti delle signore affinché, incontrandosi, non avessero l'imbarazzo di dover immaginare quale delle due dovesse cedere il passo...; la hall, funzionale, gradevole e discreta esprime un nuovo ideale di privacy e, sin dall'inizio, energia elettrica e acqua corrente ai piani, quando altrove ancora erano in uso le torce e le caraffe. E poi, proprio il senso di praticità ricercato per soddisfare una nuova società così esigente, fece in modo che la sua posizione all'interno della città fosse la migliore in assoluto, quella vicino alla stazione, quando i mezzi di comunicazione erano il treno e il cavallo. È solo negli anni '60 che la concezione del lusso si modifica -al passo coi tempi- e i piani nobili "salgono" in alto, lontani dai rumori e con una vista più ampia. Le stanze si modificano nella sostanza perché ora lusso vuol dire avanguardia nelle tecnologie e nella

capacità di rispondere ai nuovi ritmi di vita. Confortevole, ma resta un filo di nostalgia per il grande fascino del primo piano e per l'atmosfera di quella città ormai perduta. Ecco perché qui è così forte la percezione di un lusso difficilmente eguagliabile e perché durante la recente ristrutturazione che ha visto un forte intervento sul fronte tecnologico, l'impegno maggiore è stato nel conservare le strutture che fanno il fascino e lo stile dell'albergo. Per questo riusciamo ad avere ancora oggi gli ampi corridoi, le più belle suites al primo piano, gli arredi anche sfarzosi ma mai scontati, i ricchi decori, le dimensioni dei saloni, i tessuti... di quando in albergo si andava a vivere per mesi e magari per anni. Ai nostri giorni le occasioni per viaggiare sono tante, ma ci si permette sempre meno la sosta contemplativa: si perde il senso di quei ritmi, del lusso e della godibilità del luogo che offriva lo stile di vita d'albergo di una volta.

i sono ancora dei periodi dell'anno in cui è possibile, anzi quasi

zionale, fermarsi, sostare: ecco che l'atmosfera dell'albergo

nde il suo ritmo e ci si può immergere nei fasti e nei ritmi

vecchia Roma Capitale.

di queste occasioni è il periodo del Capodanno, quando si può

ofittare di una sosta fuori dal tempo e godersela, lasciandosi

e andare alla nostalgia del lusso di un tempo sospeso

mmaginario e nel sogno. Ecco perché sono molti quelli

vogliono festeggiare l'anno che inizia e salutare quello che se

a nel sapore antico in un albergo come il St. Regis Grand Hotel.

randiosa Sala Ritz rievoca l'atmosfera di quell'aristocrazia

ballava al suono dell'orchestra e che si vestiva con grande sfarzo.

tavola, incontro cruciale della serata, era il momento in cui

zioni, sensualità, stupore raggiungevano l'apice.

tmosfera che lo staff del St. Regis continua a perseguire,

rivivere, specialmente a Capodanno, un po' come se si riuscisse

tturare ancora, in un attimo fuori dal tempo, la scintilla stessa

animò quel momento romantico e decadente, molle ma anche

emamente vitale e dinamico: il lusso, la classe, i vizi e le virtù

uella Roma di fine Ottocento... quando le signore non dovevano

re il passo nei corridoi. ■

Schiacciata di zucca
ai pistacchi con astice

Cuocere gli astici in acqua bollente per 6 min. scolateli e lasciateli raffreddare, poi puliteli.
Tagliate la zucca a piccoli pezzi e cuocetela in forno a 170°C per 30 min. con sale pepe e olio extra vergine.
Togliete la zucca dal forno e finite di cuocerla in padella con olio finché sarà ben mantecata aggiungendo i pistacchi tostati.
Tagliate gli astici a medaglioni e insaporiteli in padella con aglio peperoncino lemon grass e olio, bagnate con il Vermentino e fatelo ritirare. Su una fondina sistemate la schiacciata di zucca disponetevi sopra i medaglioni d'astice nappando con la salsa di cottura.
Guarnite con l'erba cipollina tritata e gocce di aceto tradizionale di Modena.

INGREDIENTI

4	**astici**
1	**lemon grass**
400 gr	**di zucca di tipo lungo, pulita**
60 gr	**di pistacchi verdi tritati**
	aglio peperoncino tritati q.b
	erba cipollina
1 cl	**di aceto tradizionale di Modena**
1 dl	**di Vermentino**
	sale pepe
	olio extravergine di oliva

San Valentino

È una festa giovane che con il passare del tempo
acquista sempre più significato. Due i luoghi
dove festeggiarla: sono in apparente contrasto, in
realtà offrono scenari diversi per vivere
al massimo questa serata a seconda dei desideri.
Fanno da cornice una tavola elegante
e piatti ammiccanti e sensuali.

Westin Palace
Piazza della Repubblica 20
Milano 20124
T. +39-02-63361
F. +39-02-654485

E se per un giorno il mondo si fermasse...

" È il caso della festa di San Valentino
che in questa città è riuscita
ad assumere un carattere tutto particolare... "

Diecimila anni di storia, tanti già gliene dava Tito Livio. Eppure sembra che averli sia come non sentirli. Milano, espressione massima di quanto apparenza e immagine possano influire sull'identità di persone e cose, nonostante tutto il peso dei suoi anni riesce ad essere dinamica, all'avanguardia su mode e tendenze, fulcro delle attività commerciali e industriali, artistiche e di costume, mai stanca di cercare e sperimentare il nuovo.

Questa Milano, più volte distrutta, rasa al suolo e rinata sempre più grande, nasconde dietro alle facciate composte e rigide dei suoi palazzi ottocenteschi una moltitudine di tesori.

Andrea Mantegna e Pollaiolo, Piero della Francesca e Botticelli stanno lì ad aspettare di essere ammirati, mentre la medievale Porta Ticinese conserva i segreti di oscuri, lontani intrighi e agguati.

Poi c'è il grande, mitico Teatro alla Scala, con i suoi cori, le orchestre e i costumi di scena, e il Duomo con la Madonnina che svetta orgogliosa oltre i tetti delle case, con la sua fabbrica che ha richiesto 500 anni per essere completata, riuscendo comunque a mantenere intatto il suo progetto iniziale. Immagine, stile, un segno gotico che è arrivato fino a noi attraversando epoche e destini diversi. Immagine e concretezza: su questa apparente contraddizione si muove la città tutta intera, che condiziona ed è condizionata dal carattere stesso degli abitanti. ▶

Il Palace, posizionato nel cuore della Milano della moda e degli affari, sorprende per i suoi ambienti caldi e accoglienti e il garbo dello stile classico del suo arredamento.

Negli ampi spazi in comune, grazie ad un arredo ricco di tende e di vari elementi architettonici, si riesce comunque a godere di spazi tranquilli e riservati.

Dalla terrazza, al tramonto si può godere di una vista fascinosa sui tetti della città e sul Duomo.

Al Casanova Grill i complementi
per la decorazione per una tavola
di San Valentino sono semplici
ma di gran classe.
La calla, fiore lineare dall'aspetto
composto è il simbolo
di una bellezza semplice,
raffinata, elegante.

Le due calle, una bianca e una rosa
rappresentano Lui e Lei uniti
in un abbraccio sulla tavola, a
sottolinearlo un tenero segnaposto
a forma di cuore realizzato con
rametti di Alchemilla. I petali di
rose rosse sono il tocco di colore
e la giusta allusione alla passione.

" Uscire dal tempo e dai ritmi consueti per entrare in uno spazio incantato, indossare l'abito più bello e lasciarsi avvolgere dalle luci soffuse della sala... "

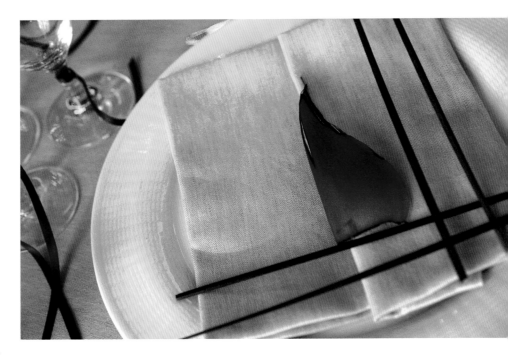

E poiché per definizione sembra che debba sempre essere fredda
e grigia, Milano è continuamente alla ricerca di qualcosa che possa
colmare una forma che rischia di apparire solo esteriore.
Invece attraversando una sorta di "chiusura" iniziale si può avere
accesso a mondi di opulenza rinascimentale, di linee classiche
e accoglienti come quelle dell' Hotel Westin Palace di Piazza della
Repubblica. Oltrepassando la moderna facciata di marmo si entra
in un mondo ovattato, in un ambiente rilassante che, se rappresenta
l'oasi quotidiana di tanti personaggi che vivono la città nei giorni di
lavoro, può diventare anche il luogo del sogno in momenti particolari.
La ricchezza sobria ed elegante degli arredi, l'alta cultura dell'ospitalità,
la garanzia dei servizi riescono a creare una cornice esclusiva per ogni
momento importante. È il caso della festa di San Valentino, che
in questa città è riuscita ad assumere un carattere tutto particolare,
molto vissuto e interiorizzato, forse anche più che in altre città magari
più generose di scorci romantici e atmosfere ovattate.
Forse è questo, è la ricerca del calore di ambienti protetti, ciò che
spinge le coppie di innamorati, giovani ma non solo, a godere
di momenti diversi in quel mondo che sembra così freddo e duro.
Milano, quindi, non solo città di uffici e di appuntamenti di lavoro,
ma anche ospite di sogni e desideri per sentirsi protagonisti
di una serata speciale.

E allora l'invito è quello di uscire, almeno per una volta, dal tempo
e dai ritmi consueti, uscire dalla monotonia degli orari
sempre uguali e degli stessi ambienti, per entrare in uno spazio
incantato, per indossare l'abito più elegante, il profumo più seducente,
gli sguardi più accesi, per lasciarsi avvolgere dalle luci soffuse
delle sale dell'albergo e rilassarsi, finalmente avvolti dalle cure e dalle
attenzioni che trasformeranno una serata così desiderata in qualcosa
di veramente speciale.
Forse è anche per questo che il grande albergo, dalla forte immagine
di charme, suggestiona e attira.

Un sottile nastro di raso rosso,
un vaso in vetro di design, qualc
filo d'erba, non serve molto altr
per accompagnare la tavola dove
si consumerà l'incontro di una
delle più delicate serate dell'ann

Batticuore di cioccolato con sospiri di mandorle

PER LA MOUSSE DI MANDORLE

80 g **di latte**

60 g **di pasta di mandorle**

100 g **di panna montata**

25 g **di cioccolato fondente**

Frullate la pasta di mandorle con il latte, aggiungete il cioccolato precedentemente grattugiato molto fine, incorporate lentamente la panna montata e mettete in frigo.

PER I CUORI

100 g **di cioccolato fondente**

Temperate (sciogliete) a bagnomaria il cioccolato, versatelo su un foglio di carta acetato per alimenti (tipo carta forno) e mettetelo in frigo. Quando il cioccolato sarà di nuovo solidificato ritagliatelo seguendo la forma di un cuore. Ne dovrete ricavare tre cuori.

PER LA SALSA DI FRAGOLE

100 g **di fragole**

40 g **di zucchero**

20 cl **di acqua**

Frullate le fragole con lo zucchero e l'acqua, poi filtrate il succo al colino cinese.

PREPARAZIONE

Su un piatto piano alternate i cuori di cioccolato con piccoli fiocchi di mousse alle mandorle. Decorate la composizione con la salsa di fragole, con gocce di cioccolato fuso e qualche cialda. (Per una porzione)

un ambiente accurato dove
chio e nuovo si fondono
catamente non possono
ncare le romantiche crêpes
bée, vecchie signore cariche
ascino che con la loro fiamma
bra vogliano accendere
i cuori...

i tutto è impostato per rispettare l'intimità, il bisogno
iservatezza nell'angolo nascosto agli occhi degli altri, dove
tagonista è un lusso da vivere e da ricordare.

non sono solo gli spazi ben distribuiti e accoglienti, o le luci
nquillizzanti che mettono a proprio agio, o le attenzioni discrete
hi si prodiga per dare il massimo del comfort, a spingere sempre
ospiti a entrare in questo sogno. Anche la cucina, che in questi
ni diverte e si diverte, contribuisce a un tocco speciale...
ché quale posto migliore può esserci di un un ristorante che si chiama
anova Grill per cenare a lume di candela?

lora niente è più seducente di un aperitivo a base di ostriche
hampagne, *Tentazione*, anche nel nome. E vassoi di crostacei
itazioni" di tartufo nero. Piatti dove gli *Abbracci di pasta al torchio*
carciofi e bottarga spingono a una promessa; i *Baci di quaglia*
foie gras e asparagi verdi in gabbia di sfoglia sono l'intenzione
si realizza. E l'*Armonia di astice con millefoglie di zucchine*
omodorini in tempura è una conferma del coinvolgimento dei sensi.
oi *Noci di capesante, carciofo e perle di caviale, Frutti della passione,*
le e peperoncino... e tanto profumo di rose a inebriare per una
ndida, romantica, indimenticabile serata, a Milano. ◼

Westin Excelsior
Piazza Ognissanti 3
Firenze 50123
T. +39-055-264201
F. +39-055-210278

Tutto il romanticismo di una bella favola

Dietro l'austera facciata dell'Hotel Westin Excelsior si nascondono ambienti di grande classicità ed eleganza e un'atmosfera piacevolmente rilassante. Pannelli ai soffitti con scene allegoriche evidenziano il passare del tempo, vetrate policrome raccontano di caccia e di banchetti, mentre la statua lignea di una giovane donna inserita in una nicchia dorata che rappresenta l'Ospitalità dà il suo benvenuto.

F irenze, città multicolore ricca di turisti, ragazzi entusiasti e irrequieti musicisti, città di shopping di classe, storici mercatini e grandi ristoranti con le più belle cantine del mondo. Firenze romantica e sognante, città che fa innamorare e che ricorda le storie d'amore che nascono e muoiono ogni giorno: grandi emozioni che si possono vivere tutte in una sola giornata, il simbolo più romantico dell'amore, la festa di San Valentino. Proprio qui, nel cuore della Firenze rinascimentale, in quest'Hotel Excelsior le cui mura possono raccontare una storia lunga di almeno settecento anni di vite vissute, qui si può rivivere l'emozione in modo speciale, con la classe, ma anche con la dovuta ironia per una festa un po' inventata è vero, ma sempre più desiderata e piena di significati. Varcare la soglia di questo albergo alle luci del tramonto vuol dire entrare in un mondo di fiaba, un mondo che sembra ruotare a tempo di sogno col ballo delle debuttanti, che fa pensare ai vestiti lunghi, fantastici e ingombranti, ai gesti galanti e alla classe di un mondo che fu, il tutto arricchito con

quell'eleganza molto raffinata e anche austera propria da sempre del gusto fiorentino. Il Westin Excelsior si apre sull'essenziale, metafisica Piazza Ognissanti e un suo fianco è disegnato dalla riva dell'Arno su cui affacciano le terrazze che regalano una delle più affascinanti viste sulla città. Entrare nell'ampia hall dal soffitto a cassettone sorretto da quattro colonne doriche e sedere in uno degli avvolgenti salottini vuol dire immergersi in una sorta di spazio parallelo dove il passato e la storia si fondono in un presente senza tempo. ▶

Uno scenario mozzafiato dalla
terrazza della junior suite
su Firenze al tramonto
fa da sfondo alla romanticissima
serata di San Valentino.
In una cornice così fantastica
inutile appesantire la tavola
con grandi decori: due cuori
realizzati con freschissime rose
rosse e una candela che brucia
possono bastare...

All'interno, nella sala del Ristorante,
il drappeggio delle sedie, quasi
a ricordare quello di un vestito,
è sottolineato da una ammiccante
rosa rossa e sui tavoli dei cuori
di muschio, qualche rosa e foglie
di aspidistra insieme a piccole
candele sottolineano con garbo
il romanticismo della serata.

Regine dei fiori, le rose
non stancheranno mai sulla tavola,
soprattutto se sono boccioli
- l'amore che ancora
non si è del tutto svelato -
che nel tovagliolo rappresentano
un pensiero gentile offerto
con discrezione.
Sul caminetto dei piccoli vasi
di vetro contengono un'altra rosa
ciascuno: lunghi steli a cui sono
state tolte le foglie, per offrire
una linea essenziale, ma anche
un'immagine evocativa come
a suggerire all'orecchio:
non c'è rosa senza spina...

E tra broccati e arredi preziosi, tra i pavimenti intarsiati di marmi
e gli affreschi alle pareti, la luce attraversa le grandi vetrate a mosaico
e illumina di magia tutto quello che incontra, nelle sale addobbate
ritorna l'eco di antiche feste lussuose. La grande favola, ora,
può avere inizio... Se San Valentino è la Festa delle Coccole e delle
Dolcezze, allora è proprio il momento di esprimere senza limiti
e riserve quella parte romantica che è in ognuno di noi, qui, al Westin
Excelsior, in un luogo dove lo staff istruito a una grande scuola
di classe e buon gusto sa arricchire ed esaudire qualunque capriccio.

Nel bar, dove ogni sera barman di grande professionalità preparan
aperitivi e dopocena molto piacevoli, per la Festa degli Innamorati
viene proposto un cocktail personalizzato e di grande effetto:
l'Engaging Cocktail, che è in realtà una vera e propria pozione
d'amore. Presentato in una suggestiva coppia di calici uniti in un un
stelo, è a base di vodka, amaretto e di un prezioso, esclusivo
ingrediente che verrà svelato solo al momento della preparazione
e solo alla fortunata persona alla quale è destinato. Un pensiero
che può trasformare tutta la serata in un gioco di segreti, confiden
e suspence, in una fiaba che prosegue a tavola, in un' atmosfera
glamour sotto le calde luci della sala allestita per l'occasione da
condividere con altri, o anche in un esclusivissimo tête-à-tête, in
grande intimità sulla splendida terrazza della Junior Suite che domi
la città. In qualunque modo si scelga di festeggiare, sarà comunque
possibile vivere la piacevole sensazione di essere al centro
dell'attenzione, di essere i protagonisti unici.

anno proposti piatti per un menu memorabile, che con la giusta
ia unisce stuzzicanti fantasie a grandi sapori e stimolando
nsi in un'esperienza in cui gli ingredienti più importanti e ricercati
ntano una coccola in più. Ampio spazio ai pani appena sfornati
rofumo di rosmarino posati sull'elegante tovaglia di Fiandra
me a petali di rose rosse, vassoi di *Ostriche sul ghiaccio* e
nberoni rossi scottati al timo, *Tagliatelle scure all'astice* e puntarelle
sparagi, *Carote al miele e mandorle*, dove il colore dà ai piatti quel
co di novità e di festa in più. Un menu che si farà ricordare per
ntasia, ma anche per l'eleganza e la ricercatezza degli ingredienti
elle preparazioni. Una festa cui non possono non fare il loro regale
effervescente ingresso le migliori bollicine italiane e francesi,
ne non può che cominciare - e terminare - con i migliori cioccolati
a tradizione toscana, arricchita per l'occasione da quel pizzico
asgressione interpretata dall'incontro con un piccantissimo
eroncino. Insomma, siete all' Hotel Westin Excelsior, un regno
ticato e di charme dove il servizio è impeccabile e attento
discreto; accurato nei dettagli e molto personalizzato; il luogo
le dove trascorrere una serata come foste in un romanzo:
ornice ideale per una storia d'amore. ■

Chicche di ricotta e spinaci con pecorino di Pienza

PER LA FONDUTA DI PECORINO

Portate a ebollizione 300 g di
crema di latte (panna liquida) e
aggiungere 100 g di pecorino
grattugiato fino a raggiungere una
buona consistenza, alla fine unite
del tartufo nero tagliato a lamelle.

PREPARAZIONE

Passate gli spinaci in padella con
del burro e rosolateli per 5 minuti
aggiungendo del sale se
necessario. Lasciateli raffreddare in
una bacinella poi aggiungete
la ricotta e la farina, mescolate

bene e unite i tuorli, il pecorino
e la noce moscata. Fate riposare
l'impasto in luogo fresco poi
prendete delle piccole cucchiaiate
di impasto, formate delle palline
e mettetele a cuocere in
abbondante acqua salata in
ebollizione. Raccoglietele con
una ramina appena tornano
a galla, conditele con la fonduta
di pecorino e le lamelle di tartufo.
Un'attenzione in più: servitele
all'interno di una cialda
di pecorino.

INGREDIENTI

650 g	**di spinaci freschi lessati in acqua leggermente salata e tritati fini**
250 g	**di ricotta fresca**
130 g	**di farina**
3	**tuorli**
150 g	**di pecorino di Pienza grattugiato**
	noce moscata grattugiata
	burro, sale e pepe
	tartufo nero

Carnevale

Ogni scherzo vale! Ma organizzare una festa di Carnevale non è più uno scherzo. Le grandi tradizioni vanno rinnovate con stile e occorre ritrovare il fascino dell'occasione soprattutto laddove sono più fortemente radicate e dove forti sono i sapori del territorio che vengono riproposti.

Grand Hotel
Piazza Ognissanti 1
Firenze 50123
T. +39-055-288781
F. +39-055-217400

Colori suoni sapori
euforia a misura d'uomo

" Al Grand Hotel le feste mascherate vanno
anti tutta la notte e le orchestre, con le loro
siche, ne accompagnano ogni momento,
che quello gastronomico "

C' è stato un periodo d'oro per il Carnevale, a cavallo tra il XV e il XVI secolo, in cui la città di Firenze era continuamente animata e scossa da grandi feste di strada, carri allegorici e grandi abboffate, dove tutto era possibile e tutti erano coinvolti.

Era quello il momento in cui chiunque poteva cambiare la sua indentità, diventare quello che in realtà non sarebbe mai stato e fare quello che non avrebbe mai osato. Anche l'alta società partecipava a questi giorni di euforia, spostandosi spesso dai teatri, sede delle grandi feste, alle strade e mescolandosi con il resto della città.

Uno tra i maggiori promotori delle feste di Carnevale fu Lorenzo il Magnifico, mecenate ma anche astuto politico, il quale sapeva bene che consentire un momento di evasione al popolo riduceva di parecchio i rischi di proteste e sollevamenti... La tradizione del Carnevale a Firenze, quindi, ha radici profonde che si sono perse col tempo per poi riprendere cautamente in questi ultimi anni. E se prima la mondanità esplodeva nei teatri, sede delle grandi feste sono diventati oggi gli alberghi che alla professionalità e alla capacità organizzativa di chi ci lavora uniscono suggestivi e sfarzosi ambienti e una lunga tradizione di accoglienza. È proprio il caso del Grand Hotel di Firenze che per Carnevale ospita una serata che spezza la routine delle "solite" feste e invita a entrare in un mondo diverso, l'occasione per un lusso che si sceglie per essere trasportati in un "altrove" ricco di fascino e di storia, di mistero e di gioco. Un lusso che parte dalle fondamenta stesse di quest'albergo, da quando, nel Cinquecento, le mura posteriori furono inglobate all'interno di quelle della città ridisegnata da Arnolfo di Cambio, mura che avevano già incrociato lo sguardo attento e luminoso di Giotto, di Botticelli e Ghirlandaio. ▸

Una grande serata tutta all'insegna
dell'allegria e della musica.
Nella Sala delle Feste il ricco,
coloratissimo buffet è allestito
al centro. Il resto dello spazio sarà
dedicato alle danze e alla
convivialità. Il senso del calore
e della festa è accentuato dalla
decorazione che si basa su classici
fiori che vengono dal Brasile come
l'orchidea, il ginger, l'elicornia.
Grandi rami che idealmente si
preparano ad esplodere come
fossero fuochi d'artificio.
Luci che si rincorrono, foglie
che si intrecciano: e il grande gioco
della festa è pronto a partire.

Fu Brunelleschi, architetto di Santa Maria del Fiore, che appoggiandosi a quelle stesse mura le ridisegnò per costruire la casa della nobile famiglia Giuntini. Nel corso dei secoli vari ampliamenti modificarono quell'architettura fiorentina rinascimentale per dare origine ad un albergo che la Regina Vittoria qualificò come uno dei più lussuosi della città. Ospitò personaggi tra i più in vista del secolo e vi si celebrarono feste grandiose che diedero il via a una tradizione per cui ancora oggi il Grand Hotel è sede di sfilate di moda, cocktail, importanti meeting e eventi speciali.

Qui, nel Giardino d'Inverno trasformato in palcoscenico, si festeggia ogni anno il Carnevale con una serata di Gala da vivere immersi in un ambiente dallo spessore antico. Qui indossare una maschera e trasformarsi in quello che si è sempre sognato diventa il gesto più semplice e in sintonia con un'atmosfera d'altri tempi.

Qui si può intraprendere un viaggio che porta alla riscoperta di colori, suoni, gusti e sapori, socializzando e incontrando le persone, così, semplicemente, divertendosi proprio come durante un immaginario viaggio senza spazio e senza tempo.

Al Grand Hotel le feste mascherate vanno avanti tutta la notte, con le orchestre che suonano le loro musiche e accompagnano ogni momento, anche quello gastronomico, organizzato con ricchi buffet dove i piatti proposti sono quelli di una cultura tradizionale fiorentina, naturalmente rivisti e alleggeriti per essere, questi sì, in linea con i tempi. Anche l'uso degli ingredienti favorisce la conoscenza di una cultura del territorio.

Il festoso buffet arricchito da fiori tropicali propone una grande scelta di piatti della tradizione locale, succhi di tanti colori, frutta rinfrescante.

asta fresca - tagliatelle o straccetti - si fa anche con la farina
castagne delle colline intorno a Firenze, del Mugello o
Amiata, una farina considerata il pane dei poveri (e oggi dei golosi!);
elli si fanno con le patate, anche loro dal Mugello: un piatto
ero che almeno a Carnevale si arricchiva con sughi di cinghiale,
ondante nella zona. Ma il vero lusso erano (e sono tuttora) i dolci,
andi *Frittelle di riso* impastato con lo zucchero, uvette e pinoli,
edienti facili da reperire in una campagna ricca di vigneti
pinete. O ancora i *Brigidini*, della zona di Lamporecchio, con farina,
hero, uova ed essenza di anice.

Berlingozzi di Empoli, con gli stessi ingredienti ma uniti a formare
grossa ciambella o ancora i *Cenci*, golosa pasta dolce che
mpone in varie forme e servita con abbondante zucchero a velo
ele dell'Appennino. Insomma, il Carnevale è sempre lo stesso,
di giochi, scherzi e tanti dolci, ma al Grand Hotel ha qualche
ediente in più: il lusso, la classe e l'eleganza che ne fanno una festa
le a se stessa ma unica nel suo genere. ∎

Necci di ricotta con rigatino e ficattole fritte

Per le crespelle preparate
un impasto con le due farine
setacciate, il latte e le uova, formate
una pastella liscia e omogenea
e lasciatela riposare per due ore
in frigo. Versate poi la pastella
in un padellino caldo antiaderente
e formate la crespella sottile.
A parte preparate un impasto
con ricotta, pinoli tritati, uvetta
precedentemente ammollata
nel Vinsanto per circa un'ora
e poi strizzata e sminuzzata.
Aggiungete il parmigiano
grattugiato, la maggiorana,
e aggiustate di sale e pepe.
Spalmate sulla crespella uno strato
dell' impasto di ricotta e coprire
con fette sottili di rigatino.
Arrotolate la crespella a formare
un cilindro. Mettete la crespella
così composta in frigo affinché
il freddo la renda più compatta,
poi tagliatela in piccole porzioni.

Per le ficattole, impastate
gli ingredienti con il lievito sciolto
in acqua tiepida, se necessario
aggiungete altra acqua. L'impasto
deve risultare piuttosto morbido.
Fatene una palla, mettetela
in una ciotola infarinata e coprite
con un canovaccio. Lasciate
lievitare per un'ora, togliere dal
frigo la pasta, reimpastatela e
tiratela fino a ottenere una sfoglia
alta circa mezzo centimetro.
Tagliate la sfoglia ottenuta a
losanghe e friggetele in olio
bollente scolate, salate e
accompagnate nel piatto preparato
con la porzione di crespella.

INGREDIENTI

PER I NECCI

200 g	**di farina 00**
100 g	**farina di castagne**
4	**uova**
120 g	**di latte**
	sale

PER LE FICATTOLE

300 g	**di farina 00**
20 g	**di lievito**
100 g	**di acqua**

200 g	**di rigatino (pancetta di maiale toscana)**
300 g	**di ricotta**
40 g	**di pinoli**
40 g	**di uvetta**
100 g	**di Vinsanto**
60 g	**di parmigiano grattugiato**
10 g	**di maggiorana**
	sale
	pepe

Hotel Danieli
Riva degli Schiavoni 4196
Venezia 30122
T. +39-041-5226480
F. +39-041-5200208

Maschere e misteri
un teatro a cielo aperto

Il Gran Gala al Danieli è uno degli appuntamenti imperdibili del Carnevale di Venezia da quando, e sono passati più di vent'anni, la città ne ha riscoperto il fascino misterioso. Sono i giorni in cui viene invasa da migliaia di persone che vogliono vivere su questo palcoscenico perennemente allestito il rito del travestimento. E l'atmosfera che si crea è tanto strana e originale da non poter essere che vera, in uno spazio temporale che racchiude tutte le epoche del passato. Passeggiando per Venezia in una qualsiasi serata invernale nessuno mai si potrebbe meravigliare se vedesse scivolare via tra calli e sotoporteghi le ombre di un mantello al vento, o se sentisse il fruscìo dell'abito di una dama misteriosa. In un labirinto di calli e campielli, nell'inquietudine di ponti che muoiono davanti a portoni ciechi, di luci fioche e bui improvvisi si potrebbe ambientare qualunque fantasia. È per questo che il Carnevale a Venezia è unico. Per capirlo si può solo viverlo, perché fatto di riti assolutamente unici: qui si viene per "essere" il Carnevale, non per farlo. Non ci sono

spettatori ma solo protagonisti, non ci sono sfilate di maschere ma personaggi di ogni epoca che si muovono in un ambiente architettonico che è rimasto fermo nel tempo. Al centro di questo flusso ininterrotto di gente è l'Hotel Danieli, un palazzo del '300 dalla storia lunga e complessa come tutti questi palazzi storici e che affascina ormai già solo dal nome. Un luogo d'incanto per il suo magnifico atrio con le scale dorate, le arcate bizantine, le balaustre, i ricchi decori, le vetrate, i lampadari... impossibile descrivere la bellezza di un luogo che è fatto di emozioni, passione e meraviglia.

Questo atrio che rievoca immagini da Mille e una Notte è uno dei luoghi prescelti per dare vita a una continua sfilata, qui passano tutti coloro che, desiderosi di vedere e farsi vedere, ben conoscono le regole del Carnevale. È la festa di chi passa, ma è soprattutto la festa di chi decide di essere ospite - famiglie o gruppi di amici che si danno appuntamento tutti gli anni - al Danieli preceduti da grandi bauli pieni di abiti che verranno sfoggiati, a seconda dell'ispirazione, nei vari momenti della giornata in albergo e nella città.

Abiti ai quali si lavora nell'intervallo tra un anno e l'altro, abiti che a volte non sono mai stati mostrati neppure ai propri amici o familiari perché fondamentale è il fattore sorpresa, lo stupore, l'enigma. ▶

Il salone Marco Polo del Danieli,
vestito a festa e arricchito da
musiche e dagli inimmaginabili abiti
degli ospiti, è pronto ad iniziare la
serata tra gli affreschi della Scuola
del Tiepolo e un Quartetto di
musica barocca. In mezzo a tanto
clamore la dolce, modesta, timida
margherita può essere protagonista
della tavola del Gala di Carnevale,
contrasto al simbolo in assoluto
dell'opulenza e degli eccessi.
La contrapposizione riesce a
creare un impatto di grande
eleganza, che smorza i toni del
superfluo e crea un clima di
armonia in tutta la sala.

Il piccolo vaso in vetro viene foderato con foglie di aspidistra e sostiene la struttura a forma di mascherina completamente rivestita da Margheritine olandesi. Lunghi fili di stillgrass si allungano verso l'alto e snelliscono la composizione. Su ciascun tavolo petali di colore diverso creano una piccola macchia sulla tovaglia mentre il tovagliolo è legato da un semplicissimo nastro di raso in tono con la tovaglia.

Ma se non c'è tempo di pensare all'abito durante l'anno, niente paura: una sala dell'albergo si trasforma in un grande atelier pieno di abiti originali, meravigliosi, dove l'ospite può scegliere con calma il suo. Qui ci sono sarte che miracolosamente riescono a fare tutti gli aggiustamenti; qui sembra di entrare in un mondo fantastico in mezzo a scarpe, oggetti, acconciature, costumi d'epoca... Chi entra in questa sala alla ricerca del suo abito ideale torna ad essere un po' un bambino smarrito nel mondo dei sogni; e chi non è abituato a vivere le favole, inizia in modo timido ma puntualmente arriva al "suo" abito: in genere è quello che lo ha colpito dall'inizio, ed è bellissimo! Per tutti il momento più emozionante è quello della prima apparizione sulla Scala d'Oro, che viene studiato nei più piccoli dettagli. La sera del Gran Gala, al quale tutti si presentano rigorosamente con l'abito e la maschera per non rivelare ancora il volto, è il momento più atteso. Ogni maschera è un mistero, ed è tutto un gioco di incontri, allusioni, promesse e inganni. Si inizia con il cocktail, durante il quale, lentamente, cominciano a crearsi i gruppi: ci si cerca, ci si scopre e si gioca, ciascuno è il suo stesso personaggio e si fa cogliere preparatissimo dai flash dei tanti fotografi, come su un grande set televisivo.

Quando ormai l'ambiente è sufficientemente caldo appare il banditore che dalla scalinata annuncia: "zentilomeni e zentildone, ea sena z'è servida". Sì, perché in questa serata diventano tutti veneziani, e tutti insieme si avviano verso il salone Marco Polo. La tavola ricca, festosamente allestita e decorata è pensata anche per consentire alle signore vestite di abiti dai larghi cerchi e strati di gonne, di avere lo spazio necessario a muoversi.

Grançeola alla veneziana

Assicuratevi che i crostacei siano "pieni". A Rialto si vendono vivi. Portate a ebollizione abbondante acqua salata. Aggiungete la carota, il sedano, l'alloro, la salvia, i gambi di prezzemolo e i grani di pepe. Proseguite l'ebollizione per una decina di minuti, mettete le grançeole e fatele cuocere. Scolatele dal brodo e lasciatele raffreddare. Apritele dalla parte della pancia, eliminate le uova, le parti nerastre e raccogliete, in una terrina, tutta la polpa e le parti dette "coralli". Quando i gusci sono vuoti, lavateli bene internamente ed esternamente.

Condite la polpa delle grançeole con una emulsione di olio d'oliva extra vergine, succo di limone, sale e pepe e suddividetela nei gusci preparati. La grançeola alla veneziana si serve fredda, ma anche fatta intiepidire sulla graticola o in forno.

INGREDIENTI

4	grançeole		PER LA COTTURA DELLE GRANÇEOLE
70 g	di prezzemolo tritato	1	carota
2	limoni	1	gambo di sedano
	olio extra vergine d'oliva	1	foglia di alloro
	sale	2	foglie di salvia
	pepe		alcuni gambi di prezzemolo
			grani di pepe, sale

...co teatrale è fondamentale nella preparazione e nella prima fase
...ncontro col viso mascherato, che poi continuerà tra i piatti
... serata alternati ai balli con musiche del '700 e dell'800.
...soi - le "grosse pièces"- attraversano la sala per farsi ammirare
...colmi delle grandi porchette in bellavista, anatre, fagiani ripieni,
...zini vistosamente accompagnati da deliziose decorazioni.
...mma, una passerella di quello che erano l'opulenza
...spettacolo dei festeggiamenti nelle ricche tavole dei secoli
...o. La cena continua con balli fino alle prime ore del mattino
...flash dei fotografi, i dolci e i brindisi.
...nque si respira il clima di aria festosa, grande allegria
...mplicità per aver vissuto il gran gioco delle parti in una serata
...mente particolare, dove il comportamento è il travestimento,
...e si è quel che si gioca ad essere.
...mma, questo grande, fastoso gioco collettivo del Carnevale
...anieli è una cosa veramente seria. ◼

Pasqua

Forse è una delle feste dei grandi
più sentite dai bambini, ed è giusto così, per
sottolineare il senso di rinascita e
di nuova vita che anche la stagione ci
propone in ambienti esclusivi e
unici in questo periodo dell'anno.

Hotel Des Bains
Lungomare Marconi 17
Venezia Lido 30126
T. +39-041-5265921
F. +39-041-5260113

Il profumo della primavera tra i fasti della Belle Epoque

" Il Lido è il rifugio ideale per chi ama il clima mite
della primavera e le lunghe passeggiate
sulla spiaggia, e ne vuole godere prima che inizi
la stagione dei vacanzieri... "

Se Venezia, spettacolare e straordinaria, è città da visitare in qualunque momento dell'anno, il suo Lido, così vicino fisicamente, le è molto lontano come identità culturale e storica e vive il suo periodo migliore nella bella stagione. Il Lido, quest'isola lunga e stretta che protegge la laguna dal mare, era abitato da pochissime persone che si dedicavano alle attività agricole durante tutti i secoli in cui Venezia viveva la parte più scoppiettante della sua storia: la gloria e i fasti della Repubblica Marinara. In epoche anche vicine a noi il Lido è stato scoperto da artisti romantici e da scrittori affascinati dalla sua atmosfera così semplice ma al tempo stesso spettacolare. Ma intorno al 1800, quasi contemporaneamente al declino di Venezia, il Lido comincia a vivere. Sono gli anni in cui si scoprono - e si ricercano - le nuove frontiere del benessere fisico; la tendenza a "prendere i bagni di mare" diventa una moda, un vezzo dell'alta società, della nuova ricca borghesia che inizia a coccolarsi. Così al Lido, favorito dalla sua particolare struttura geografica e dalla disponibilità di ampi spazi impossibili "nell'altra" Venezia, fa la sua apparizione il primo stabilimento balneare: una serie di casette o piccole cabine dove indossare il costume da bagno, riposarsi, mangiare con decoro, chiacchierare, avere, insomma, un punto di riferimento in un così grande spazio comune. ▶

Il grande salone liberty del Ristorante
è allestito per la giornata
di Pasqua. Gli stucchi bianchi
alle pareti, i delicati affreschi,
i candelabri di Murano, la deliziosa
terrazza del '900 dalla quale arriva
una calda luce primaverile, sono
la sofisticata cornice alle tavole
imbandite per l'occasione.
I colori sono quelli della primavera:
il verde, come quello delle prime
foglie che spuntano, il rosa/fucsia
è quello delle azalee, dei rododendri,
delle roselline che cominciano
a sbocciare nei giardini.

Poi la grande svolta: nel 1900, ormai verificata la potenzialità del luogo, venne costruito l'Albergo dei Bagni, ovvero l'attuale Hotel Des Bains. E "prendere i bagni a mare" diventa una grande e sciccosa occasione mondana di turismo e di soggiorno.

Da allora per il Lido inizia un lungo periodo di stagioni ricche e movimentate che si fermano solo in occasione della Prima Guerra Mondiale per riprendere immediatamente alla sua fine.

Molti furono i personaggi attratti dalla sua atmosfera in bilico tra Belle Epoque e Decadentismo dannunziano: un nome per tutti, Thomas Mann che ne fu talmente colpito da lasciarcene una descrizione memorabile nel suo *Morte a Venezia*, pubblicato nel 1913. Sin dall'inizio della sua storia, le sale da pranzo dell'albergo, i suoi larghi corridoi, i salotti, gli ampi spazi all'aperto furono frequentati da una clientela mitteleuropea, da grandi famiglie con servitù e bambini, da viaggiatori stranieri e donne eleganti con tutto quel gran movimento al seguito... Il che contribuì, tra l'altro, a destare un forte richiamo per artisti e intellettuali curiosi. Così il Lido divenne la sede della Villeggiatura moderna: gli ospiti trascorrevano qui mesi interi, arrivavano con bauli strapieni di panni, strass e stole per il lungo soggiorno fatto di momenti intimi e di bella mondanità. All'Hotel Des Bains, e un po' in tutto il Lido, si respira tuttora l'atmosfera del periodo legato all'Art Nouveau, a quella stagione culturale che invece manca a Venezia. Un tour delle Ville liberty, chiamate anche "villini" perché erano case di villeggiatura dei veneziani e a tutt'oggi abitate, è uno dei percorsi più interessanti per capire il contesto culturale nel quale si è sviluppato il mondo del Des Bains.

E con il consapevole piacere del "bello" di cui si è circondati, qui si continua a venire per trascorrere una vacanza di spiaggia tra luglio, agosto e settembre. Eppure... eppure c'è un momento particolare per vivere l'albergo e coglierne tutto il fascino nascosto e il suo contesto. È la primavera, quando il sole non è solo una tentazione per l'abbronzatura, ma è tiepido e invita alle passeggiate dolci e al tranquillo riposo. Come era agli inizi del '900, il Lido è ancora oggi il rifugio ideale per chi ama l'aria di mare, le passeggiate lungo il bagnasciuga, il clima mite e vuole goderne prima che inizi la stagione estiva vera e propria: è il luogo giusto per fare sport e passeggiate, per giocare a golf.

Tanto che il suo campo di 18 buche è nato proprio nel 1930 ed è tra i più antichi d'Europa. Insomma, si può vivere appieno il risveglio della natura nel grande parco con alberi secolari, campi da tennis, piscina.

ergo, con questi suoi ricordi della Belle Epoque, con la preziosa
nata e le ringhiere in ferro battuto, con le sue decorazioni Liberty
terrazze palladiane, conserva tutto il fascino della stagione
antica e continua a essere apprezzato dalle famiglie che qui
dono di fare un primo assaggio di vacanza.
e a godere del tempo particolarmente mite, in primavera è possibile
rofittare di una cucina sana e fresca a base di erbe di campo,
olo stesso della stagione. Una Pasqua festeggiata è l'occasione per
rofittare degli asparagi bianchi di Bassano e di quelli verdi del Piave,
piselli di Borso del Grappa e dei carciofi Violetti di S. Erasmo
(castraure veneziane), delle erbette di campo che si chiamano
etti o delle foglie dei papaveri: tutti ingredienti per un menu fatto
andi sapori spesso dimenticati e giocato sulle primizie che sono
vate in gran parte negli orti sulle isole della Laguna e quindi
colarmente saporite proprio perché si nutrono di un'acqua molto
di salmastro. Insomma, in questo luogo un po' rétro e nostalgico
ò vivere un bel periodo insieme alla propria famiglia,
ambiente naturale particolarmente rilassante e sottolineato
na cucina semplice ma ricca e interessante. ■

Gnocchi di ricotta
su passatina di *castraure*

Sfogliate i carciofi Violetti di
S. Erasmo, affettateli sottilmente
e passateli in padella con un fondo
di olio extravergine d'oliva, aglio,
basilico e lo scalogno, bagnando
il tutto con del brodo vegetale.
A cottura ultimata salate, pepate
e frullate il tutto al frullatore
passando il composto al cono
cinese in modo da ottenere una
crema omogenea.
A parte amalgamate la ricotta
con il parmigiano, gli albumi
d'uovo, la fecola, il sale, il pepe
e la noce moscata. Formate delle
quenelles mettetele in una teglia
rivestita di carta da forno
e infornate a 160°C per
10-15 minuti.
Nel frattempo lavate e tagliate
la carota, il porro, la melanzana

e la zucchina nel senso della
lunghezza con un pelapatate
in modo da creare delle piccole
tagliatelle di verdure. Sbollentate
le verdure e spadellatele
velocemente con sale e pepe.
Disponete nel centro del piatto
la crema di castraure, adagiatevi
sopra le quenelles di ricotta
e le tagliatelle di verdure e dell'olio
extravergine di oliva e guarnite
a piacere.

INGREDIENTI

6	**carciofi Violetti di S. Erasmo (castraure)**
3	**albumi d'uovo**
60 g	**di fecola di patate**
50 g	**di Parmigiano Reggiano**
1 kg	**di ricotta di malga**
1	**piccolo scalogno tritato**
	aglio

1	**carota**
1	**zucchina**
1	**porro**
1	**melanzana lunga**
	olio extravergine di oliva
	basilico
	mezzo litro di brodo vegetale
	sale, pepe e noce moscata

Cervo Hotel & Resort
Costa Smeralda
Porto Cervo 07020
T. +39-0789-931111
F. +39-0789-931613

Il risveglio della natura
sulla piazzetta più mondana

" ...è un periodo splendido per approfittare
dell'atmosfera e dei sapori che questa terra di Sardegna
sa offrire a chi è attento e curioso "

S trana storia, quella di Porto Cervo, la storia di un posto
completamente inventato, un posto dove solo la natura era
di casa e che in pochissimo tempo è diventato uno dei luoghi
più conosciuti ed esclusivi al mondo. Un luogo nato da una fantasia
libera, ma rispettosa del ritmo, dei suoni, delle forme e dei colori
di Gallura, ricostruiti con una cura e un'attenzione quasi maniacali.
Porto Cervo è un luogo dove il passaggio delle stagioni ha ancora
il suo significato più vero e segna come nelle favole l'avvicendarsi dei
mesi e degli eventi: si risveglia in primavera ed esplode, con la potenza
affabulatrice del suo fascino fiabesco, in estati calde dove comanda
il ritmo delle feste, dello shopping e degli incontri mondani...
Qui il mondo delle fiabe è entrato in contatto con la natura.
In primavera si scatenano i colori, si riaprono le case da sogno, sulle
verande ricompaiono le piante e spariscono le foglie secche
dell'inverno, i negozi si rifanno il look cancellando l'offesa del mare
d'inverno sulle facciate; il Cervo rimette in piazzetta i tavoli del bar
e i primi ospiti assaporano la bellezza di un luogo ancora non
contaminato dalla massa dei villeggianti.
È il momento del risveglio, quello che coincide con le vacanze di
Pasqua, con l'apertura delle case, con le famiglie che vengono a spasso
nel borgo quando ancora mantiene tutto il calore del villaggio. ▸

Toni molto accesi del giallo
e del viola per una Pasqua
che ha come sfondo il blu del mare
e l'azzurro del cielo. All'interno
un ambiente fresco e molto
familiare dove festeggiare una
giornata anche dedicata ai bambini,
al gioco delle sorprese
e dei sorrisi affettuosi.

...l'Hotel Cervo vuole essere un pezzo di casa
un ambiente un po' sospeso nel tempo... "

Uova di Pasqua: grandi, piccole, colorate, di cioccolato, di zucch o quelle vere, fresche, fatte rassodare e poi servite anche a colazione con formaggi, salum e pane *carasau*, nel rispetto della più pura tradizione locale.

Un periodo splendido per approfittare dell'atmosfera e dei sapori che questa terra di Sardegna sa offrire a chi è attento e curioso.

Pasqua vuol dire Primavera e porta in tavola le paste ripiene, quelle fatte dalle donne sarde solo nei giorni di festa, gli unici in cui potevano permettersi di passare più tempo in cucina a preparare i *Culurgiones*, la sfoglia ripiena di patate menta e pecorino - ingredienti poveri, semplici, che si trovano nell'entroterra, nell'Ogliastra - terra di contadini e di pastori - una pasta "cucita" a mano, ripiegata e poi pizzicata con le dita sui bordi per trattenerne il contenuto e dare la forma nobile della spiga. Lo chef del Cervo arricchisce questa semplice pasta ripiena con altri figli della terra, i funghi porcini accompagnati dai succulenti scampi per abbracciare tutta la cultura del cibo di questo territorio, così di mare e così di terra. Le donne nelle case, invece, condiscono i colurgiones con una semplice salsa di pomodoro e una grattugiata dell'immancabile pecorino.

Nei giorni di festa in famiglia, ma anche all'Hotel Cervo che vuole essere un pezzo di casa in un ambiente un po' sospeso nel tempo, si consumano le salsicce di cinghiale e i salumi locali come antipasto, e poi la carne di capretto, la più tipica del gallurese, cotta allo spiedo. Per dolce non ci possono essere che le *cassadinas* ripiene di un formaggio fresco che deve filare e aromatizzato da buccia di arancia e uva passita.

Al Cervo, poi, nei giorni di Pasqua va in scena il rito dell'aperitivo: un pezzo di pane *carasau* con scagliette di formaggio e un fiore di cappero, salumi e uova sode...

Sapori di qui, di questa terra aspra e dolce insieme: per questo si arriva fin qui, per gustare i sapori della terra e del mare, di quel Mediterraneo che bisogna attraversare per assaporarne un pezzo di storia.

I dolci, infine, quelli tipici della Pasqua che devono allietare la tavola: colorati e poveri, sprizzano sapori come i *papasinos*, a base di pastafrolla, noci e uvetta, il mosto cotto e lo zucchero. Primavera è anche un momento in cui vivere più intensamente l'atmosfera senza tempo del villaggio: ci si gode la vita in piazzetta, ci s'incontra passeggiando con calma, si fa shopping e si fanno feste, ci si scambiano visite in barca, ci si rilassa a guardare splendide abbronzature seduti al bar.

Questa è vacanza: la villeggiatura rilassata di chi ama il tutto a portata di mano, di chi sa di "essere" la famosa Piazzetta che stuzzica l'immaginario della gente e che, vuota e discreta durante il giorno,

...ma di sera dall'aperitivo in poi in notti senza fine che diventano
...ore più lunghe man a mano che la stagione avanza.

...tro alla piazzetta l'albergo, discreto anch'esso e pur motore
...novimento e vivace anima del villaggio, anzi, villaggio esso stesso
...i confonde tra vita pubblica e privata, sempre immerso
...ontinuo fluire di ospiti e passanti.

...si sta al centro del mondo, qui si viene per vedere e per farsi
...re in un gioco continuo di rimandi tra attori e spettatori di questa
...de festa lunga tutta la stagione nella favola di Porto Cervo. ■

Culurgiones di patate
al ragù di scampi e porcini

Formate con la farina sarda
la classica fontana, unite le due
uova e i due rossi d'uovo, otterrete
un impasto morbido che lavorerete
a lungo. Lasciate a riposo l'impasto
e nel frattempo lessate le patate,
pelatele e schiacciatele; unite
alle patate il pecorino grattugiato
e le foglioline di menta. Stendete
la pasta così da ottenere una sfoglia
sottile e ricavatene dei dischi del
diametro di circa otto centimetri.
Ponete al centro dei dischi una
piccola quantità di impasto,
ripiegateli e chiudeteli pizzicandoli
sui bordi così da dare la tipica
forma di spiga dei culurgiones.
Preparare la salsa facendo saltare
in poco olio funghi porcini tagliati
a lamelle e profumati con il timo,
rosmarino e l'aglio; sfumate con
il vino bianco e brodo di carne.

Fate saltare a parte le code
di scampi sgusciate. Cuocete
i culurgiones in abbondante acqua
salata, scolateli e conditeli
con la salsa di funghi porcini
e guarnite con le code di scampi.

INGREDIENTI

PER LA PASTA
250 g **di farina sarda**
  2 **uova intere, 2 rossi,**
     sale

PER LA FARCIA
200 gr **di patate**
  50 g **pecorino grattuggiato**
   5 **foglie di menta**
     sale e pepe

PER LA SALSA
   4 **funghi porcini**
      uno spicchio d'aglio
      un rametto di timo
      un rametto
      di rosmarino
      mezzo bicchiere
      di vino bianco
      un bicchiere di brodo
      code di scampi
      sgusciate

Festa d'Estate

Se ogni occasione è buona, allora non si deve
rinunciare all'occasione di festeggiare l'estate.
La bellezza dei paesaggi e la dolcezza del
clima delle calde serate meritano una festa tutta
dedicata a loro tra ampi buffet e deliziosi cocktail.

Westin Excelsior
Lungomare Marconi 41
Venezia Lido 30126
T. +39-041-5260201
F. +39-041-5267276

Sole e mare
la mondanità è di casa

" Oltre ai Vip, l'altro elemento
che caratterizza fortemente
l'albergo è il lusso "

I l destino festaiolo e mondano di questo palazzo da favola fu segnato
sin dal giorno della sua inaugurazione, quel 21 luglio 1908, con una
festa di tremila persone e fuochi d'artificio che illuminarono a giorno
tutta la Laguna. Quella volta anche Venezia si fermò a guardare.
Così nacquero, insieme, l'Hotel Excelsior del Lido e la sua fama,
cosicché negli anni Venti divenne il luogo più in vista per la mondanità
e le grandi feste, un palcoscenico frequentato da personaggi famosi
di mezzo mondo. A sottolineare lo spirito di avanguardia che ha
ispirato la sua storia, si racconta che verso la fine di quegli anni arrivasse
in albergo Henry Ford in tenuta sportiva, con la sua sacca da golf sulla
spalla; rivolgendosi a Giuseppe Volpi di Misurata, personaggio chiave
nella storia del Lido di Venezia, il magnate dell'automobile chiese dove
fosse il campo da golf. La risposta - ormai un classico negli annali
del golf - fu: "Non so cosa sia, ma lo voglio per l'anno prossimo".
Anche per l'atmosfera di grande modernità di cui sapeva circondarsi,
lo straordinario palazzo in stile moresco divenne sede - oltre che
motore propulsore - della Prima Esposizione d'Arte Cinematografica
nel 1932, proprio su quella Terrazza a Mare che continua ad essere
il punto di riferimento per i personaggi del bel mondo. ▸

La splendida facciata dell'Hotel
Westin Excelsior guarda verso
il mare e il tramonto.
La luce degli ultimi raggi del sole
spinge ancora sulle finestre quella
delle lampade interne, mentre
le candele prendono ormai
il sopravvento sui tavoli pronti
alla festa. Gli oggetti si illuminano
come in un tramonto tropicale,
e sul centrotavola si accendono
gli intensi colori delle orchidee.

La tavola per la grande Festa d'Estate si fonde con l'ambiente che la circonda. Gli elementi del mare arrivano sulla tavola raffinata. Un filo di sabbia crea il disegno dell'onda dove poggia delle conchiglie grandi e piccole dalle quali fanno capolino le splendide Phalaenopsis, le orchi color fucsia che ricordano i caldi paesi dei tropici.

Visto il successo, la sede della Mostra del cinema si ampliò e quindi si trasferì in un nuovo edificio vicino, ma il Westin Excelsior è rimasto il luogo per eccellenza del soggiorno dei più grandi protagonisti della mondanità internazionale. Oltre ai vip, l'altro elemento che caratterizza fortemente l'albergo è il lusso. Ma quel lusso e quel glamour che qui non sono più né l'una né l'altra cosa, quanto piuttosto la capacità di viversi un'eleganza storica, una classe che sa come non farsi notare ma che sa di essere riconosciuta.

A frequentare la spiaggia del Westin Excelsior ad esempio, in quelle "capanne" che ricordano l'Oceano francese e che corrono lungo tutta la spiaggia, sembra di tornare indietro in un tempo sospeso. Ora, dopo l'alluvione del 1966, sono bianche, eleganti e raffinate tende di tela, ma la "capanna" originale nacque in legno e bambù intorno alla metà dell'800, per rendere più comoda la neonata moda della villeggiatura balneare - che ispirò poi la costruzione dell'albergo - per godere della tranquillità e del privilegio di esserci, in quella deliziosa, raffinata striscia di mare dove la vacanza ha ancora oggi un sapore antico.

Da allora il rito della capanna si ripete, immutato ormai da oltre un secolo, e conserva i suoi ritmi originali e chic, forse anche più rarefatti. È nei mesi tra luglio e agosto che questo clima di grande relax viene vivacizzato da una serie di serate caratterizzate da una coreografia e da intrattenimenti diversi dal solito.

Qui gli ospiti spesso sono "storici", vengono ormai da molti anni e anzi approfittano di questo periodo di vacanza e di questo posto "di casa" per darsi un appuntamento e per riunire famiglie separate e disperse in giro per il mondo durante tutto il resto dell'anno.

In questo clima ogni occasione è buona per divertirsi, provare tante diverse esperienze a tavola contribuisce ad aumentare l'entusiasmo e la curiosità per le piccole e grandi feste che ci saranno.

La cucina dell'albergo offre tutto quello che desiderano gli ospiti: i piatti mediterranei e le ricette tradizionali sono quelli più richiesti, con qualche piccola eccezione e qualche "fuga in avanti" nelle serate a tema dove la fantasia dello chef può sbizzarrirsi senza incertezze. Di solito le cene sono a buffet, per una godibilità maggiore della serata e una più ampia libertà di movimento, ma anche per offrire una gran varietà di piatti e di sapori che rendono l'insieme più divertente e vacanziero. Questo consente agli chef anche di esibire la propria creatività artistica e creare straordinarie decorazioni.

E poi il clou dell'estate, il Ferragosto, che si festeggia con una serata di Gala sulla terrazza del ristorante, piacevolmente formale,

Talmouse con purea di melanzane

PER LA PASTA

Tirate 4 quadrati di pasta sfoglia
dello spessore di 2/3 mm
e con il lato di 16/17 cm.
E con ciascuno foderate
uno stampino, poi metteteli
in frigorifero.

PER IL SOUFFLÈ

Fate fondere il burro, unite la
farina e il latte. Condite con sale
e una puntina di pepe di caienna.
Riducete l'impasto a una massa
densa come la salsa besciamella
continuando a battere
con la frusta sul fuoco.
Al primo bollore ritirate
dal fuoco aggiungete la noce
moscata grattugiata e i rossi
d'uovo. Una volta raffreddato
il composto unite i 4 albumi
montati a neve e rimestando
con un cucchiaio di legno
anche i formaggi.
Con questo impasto riempite
per più della metà gli stampini
e accompagnate i 4 angoli
della pasta verso il centro infornare
in forno caldo a 160°
per 20/25 minuti.

PER LA PUREA DI MELANZANE

Infornate la melanzana intera per
circa 20 minuti a 180°. Lasciatela
raffreddare un poco, togliete la
polpa, insaporitela con sale, pepe
e a piacere l'aglio tritato finemente.

PER LA SALSA DI FORMAGGIO

Incorporate a 3 dl di besciamella
100 g di mascarpone e il basilico
precedentemente emulsionato
con un po' di latte.

COMPOSIZIONE DEL PIATTO

Sul fondo del piatto formate
uno specchio con la salsa
di formaggio al basilico. Con un
sacchetto da pasticcere usando
particolare attenzione farcite il
soffiato con la purea di melanzane
e posizionatelo al centro del piatto.
Guarnite a piacere e servite caldo.

INGREDIENTI

400 g	**di pasta sfoglia classica**
	Stampini del diametro di circa 5/7 cm.
1/4 di l	**di latte**
70 g	**di farina**
60 g	**di burro**
4	**uova**
50 g	**di gruviera tritato**
30 g	**di parmigiano grattugiato**
	sale, pepe di caienna, noce moscata
400 g	**di melanzana tonda aglio**
3 dl	**di salsa besciamella latte**
100 g	**di mascarpone**
6	**foglie di basilico**

una sequenza di piatti che può iniziare con un *Appetizer* composto
...strati alternati di formaggio caprino e fichi freschi; piccole *Tartare*
...esci con differenti salse e poi quello che era un vecchio piatto
...mezzo degli anni '70, una ricetta di cucina internazionale rivisitata:
...ica *Talmouse*, composta da un fondo di formaggio bianco e una
...ma di melanzane all'interno di un sacchetto di pasta sfoglia.
...ompletare il menu possono esserci due *Quenelle di patata*
...accompagnano dei filetti di saporitissimo scorfano rosso; quindi
...*Medaglione di vitello all'uva* in una foglia di vite e una scaloppa
...escatrice alle nocciole. E per finire, *Zabaione gratinato fresco*
...utti di bosco e leggermente scottato...
...me dire: frivoli sì, ma con gusto! ■

Hotel Cala di Volpe
Costa Smeralda
Porto Cervo 07020
T. +39-0789-976111
F. +39-0789-976617

Sospesi nel tempo
piccoli – grandi lussi quotidiani

Quella che si respira al Cala di Volpe è l'aria di un lusso che non si deve ostentare e che non ha bisogno di eccessi per essere: perché è il lusso quotidiano, che da sempre convive con questi spazi così particolari e unici e con la bella gente che qui si dà appuntamento ogni anno. Il complesso del Cala di Volpe è la rappresentazione della forte personalità dell'architetto Jacques Couelle che nel 1963, in questo splendido angolo della Costa Smeralda dove non c'era niente se non una natura selvaggia e stupenda, ha immaginato un "villaggio di pescatori" super esclusivo inserito in una caletta, ne ha disegnato il porticciolo, i ponticelli e i piccoli passaggi che mettono in comunicazione gli spazi privati e le zone pubbliche, le dimensioni, i colori delle pareti, che dovevano creare un clima di armonia con l'ambiente. E ha voluto creare un luogo dove tutto fosse luce e colore, che infondesse tranquillità ma anche gioia. Qui le linee architettoniche, gli archi, le pareti, non hanno spigoli né linee rette, e sono studiate per non aver bisogno di quadri perché da sole bastano a rappresentarsi in uno scenario sempre vario e diverso. Era, Jacques Couelle, un architetto che ha costruito pezzo per pezzo, con le sue mani, la luce che filtra dai vetri colorati, gli spazi in cui giocano tra continui rimandi i vuoti e i pieni, oggetti rigorosamente artigianali che creano un caleidoscopio di colori tenui, sfumati, ma allegri e vivi. ▶

Il Barbeque che affaccia sulla grande
piscina è vestito a festa. Centinaia
di persone sono in attesa di
partecipare all'evento
più mondano dell'estate.
Mantelle di raso verde sono
adagiate sulle spalle delle sedie,
oggetti colorati sulla tavola
elegante ma fresca danno un tocco
di leggerezza.
Un'elegante alzata di mele verdi
accompagna ciascun tavolo.

Si accendono le luci di mille
candele. I cuochi preparano
la brace del grande barbeque
pronto a dare il meglio
di sé per la serata.
La mise en place è perfetta
nei minimi dettagli.
La serata ha inizio.

E poi le grandi strutture: il barbeque, la piscina di acqua salmastra
che sembra sciogliersi nel mare che la sfiora, il grande spazio
per le molte feste che lo animano ininterrottamente durante l'estate...
Tutto è frutto di un lavoro attento ai dettagli apparentemente
più marginali, ma che ne fanno un unicum nel mondo intero.
La hall è il living della casa ideale, dove la gente passa e si incontra,
si ferma a parlare, prende un caffè al bar o un aperitivo nei salottini,
guarda il mare, la luce, le mode che cambiano e che poi tornano,
che si trasformano. La hall è un grande spazio dove arrivi e partenze
non hanno il ritmo freddo e impersonale degli alberghi, ma piuttosto
sono il saluto di chi entra ed esce da casa propria, una casa vivace
e movimentata, piena di amici a tutte le ore, punti di riferimento certi
nelle storie più varie e complesse. Qui il saluto tra chi si conosce ormai
da tanti anni non fa distinzione tra gli ospiti e lo staff dell'albergo
che li accoglie, in una conoscenza che si tramanda dai padri ai figli,
tra persone che si chiamano per nome, che si complimentano
a vicenda degli sviluppi di carriera o di famiglia, che si aggiornano
e si interessano alle vite reciproche. Quella che si respira
al Cala di Volpe è più che un'atmosfera: piuttosto un'anima che nasce
dall'insieme delle memorie e delle emozioni di chi sa di vivere la sua
vita a livelli sempre esclusivi, di chi ricorda quando veniva con i genitori
e che porta i suoi figli perché vuole che anche loro possano avere
i suoi stessi ricordi in un ritmo sospeso nel tempo tra mare e piscina,
tra shopping e relax, con il lunch su splendide imbarcazioni o a bordo
piscina sotto i riflettori di centinaia di occhi. Lo spettacolo sono gli ospiti
stessi dell'albergo, in un via vai di tender e guardie del corpo:
attori, affaristi e finanzieri, politici, vip da jet set e teste coronate,

bellissimi, abbronzatissimi, sorridenti e festosi in un susseguirsi continuo di saluti e chiacchiere. Qui non si ha paura di farsi vedere, nessuno deve raccontare niente di sé, nessuno si deve nascondere da sguardi indagatori, tutti qui sono a casa loro. E a fine giornata, irrinunciabile, un cocktail in terrazza a godersi le barche che rientrano o al Bar Pontile, in una zona più riservata romantica, da vivere al tramonto o dopo cena, in piena tranquillità perché poi, la vita mondana incalza e le feste si susseguono: festicciole per gli amici, eventi preparati con mesi di anticipo, vere e proprie serate di gala dove moda e affari si danno la mano... Insomma, anche il lavoro, qui, diventa un gradevole passatempo. Fino al momento clou, all'evento mondano per eccellenza: il gran Gala di Agosto. Allora tutto diventa sfarzo, l'albergo si veste con il suo abito migliore e inizia la passerella di un enorme buffet: 60 metri solo per i piatti freddi, e decine e decine di metri carichi di cibi cotti al barbecue e paste calde, pasticceria e dolci, tutto rigorosamente di impostazione mediterranea. Una grande macchina organizzativa che punta solo a soddisfare sfizi e bisogni di quegli ottocento fortunati che si danno appuntamento in quest'angolo di paradiso e che amano in fondo un solo vero lusso: quello di non sentirsi solo numeri, di poter essere, sempre e solo se stessi. ■

Fregula mantecata ai frutti di mare

Con una parte dell'olio fate imbiondire la cipolla, unite le seppie e i calamari e lasciate rosolare a fuoco medio.

Unite la fregula e fatela tostare, aggiungete i pomodori secchi a pezzetti, bagnate con il vino bianco e procedete come per la realizzazione di un risotto aggiungendo un mestolo alla volta circa un litro di brodo di pesce (fumetto) bollente.

Aggiungete i frutti di mare alcuni minuti prima della cottura e la bisque.

Il tempo di cottura è di circa un 20 mn (a seconda della grandezza della fregula). Lasciate riposare un attimo e mantecatele con il restante olio, il burro e a piacere del parmigiano. Servite macchiando con un po' di fondo di crostacei e di pesto.

INGREDIENTI

300 g	**di fregula**
50 g	**ciascuno calcolati come peso del prodotto pulito di code di scampi, code di gamberi, code di mazzancolle, seppia tagliata a pezzi, calamaro fresco tagliato a pezzi, rana pescatrice.**
20 g	**di cozze**
20 g	**di vongole cotte e sgusciate**
1 lt	**di brodo di pesce**
40 g	**di burro**
20 g	**di pomodori secchi poco salati**
20 g	**di pesto prezzemolo tritato**
1	**piccola cipolla tritata vino bianco secco salsa americana (fondo di crostacei) olio extravergine di oliva sale e pepe**

Nozze

"Il giorno più importante". E per quel giorno
la cornice più bella e l'atmosfera più commossa,
in due località che più di tutte fanno sognare:
due alberghi ricchi di fascino e suggestione, una tavola
che parla al cuore che fa degli sposi i veri protagonisti.

Hotel Villa Cipriani
Via Canova 298
Asolo 31011
T. +39-0423-523411
F. +39-0423-952095

Il giardino dei sospiri
tra i colli più dolci

Sulle colline asolane, in mezzo alla successione di dorsali ricoperte di boschi, vigneti e castagni appare Asolo, una cittadina dalla storia piuttosto complessa, legata a doppio filo con quella di molti personaggi internazionali. Una storia anche singolarmente declinata al femminile, con figure di grande spessore e intelligenza. Il suo attuale, delizioso borgo, ad esempio, deve molto a Caterina Cornaro, nobile veneziana della fine del '400 andata in sposa al re di Cipro. Alla scomparsa del marito fu costretta a tornare a casa, ma con una festa degna della sua figura di Regina, tanto che ogni anno, la prima domenica di settembre, Venezia rievoca con la Regata Storica il ricordo di quell'accoglienza. Poi la nobildonna partì per il suo dorato esilio ad Asolo dove si circondò di una corte ricca, colta e raffinata. Da Pietro Bembo, futuro Cardinale, che qui ambienta *Gli Asolani*, a Giorgione, Lorenzo Lotto, il Bassano furono in molti a lasciare segni del loro passaggio. Qui ha abitato ed è sepolta nel piccolo cimitero di Sant'Anna Eleonora Duse, che si ricorda con una collezione unica al mondo di lettere, cimeli e ricordi. Qui ha vissuto Freya Stark, grande viaggiatrice inglese, cha ha descritto in molti racconti i suoi viaggi, bravissima fotografa - e forse anche spia di mestiere.

La scena ha come sfondo
la facciata della Villa che ricorda
una casa di campagna.
L'ampio giardino è reso accogliente
dalle piante che ne delimitano
lo spazio e dai fiori che con i loro
colori rallegrano il paesaggio
durante tutto l'anno.
Tavoli dalle candide tovaglie
aspettano gli ospiti e
preannunciano una sosta fresca,
piacevole e in una dimensione
molto intima e familiare.

Il candore delle tovaglie si ricopre del verde che richiama a quello del prato. Delicati centrotavola di bianchi Gypsophila, fiorellini fittissimi, si alternano ai verdi del Bluepeurum. Il segnaposto, una foglia di Aspidistra racchiude un rametto d fiorellini, quasi a ricordare un mazzolino di mughetti.

Per un matrimonio più a colori, o un anniversario romantico il bianco può essere sostituito dai delicati colori fucsia o lilla o violetti dei fiori selvatici del giardino.

Era molto legata alla famiglia reale inglese e in particolare alla Regina madre che venne ad Asolo con un corteo di cornamuse per festeggiare i 90 anni della sua amica. Tra opere d'arte e ricordi, Asolo merita anche una passeggiata nel Mercatino dell'antiquariato ogni terza domenica del mese o, sempre, una ricerca tra i prodotti dell'artigianato quali la "Tessoria Asolana", - seta tessuta con telai antichissimi - o i preziosi ricami a punto croce su antichi disegni di proprietà esclusiva di tre nobili sorelle dell'aristocrazia veneziana, fondatrici della "Antica scuola di Ricamo". Uscendo dal borgo sono piacevoli i giri delle Ville palladiane, le più vicine, Villa Maser, o Villa Emo di Capodilista, costruite nel periodo in cui Venezia si accorge di poter sfruttare anche i percorsi via terra per i suoi traffici e commerci. Quindi le ville diventano necessarie, oltre che per il puro piacere estetico, soprattutto per impressionare, mostrare la propria potenza, valorizzando sempre il paesaggio circostante.

L'attuale Villa Cipriani nacque come abitazione privata proprio in epoca palladiana, poi subì interventi importanti nel diciottesimo secolo, ma le notizie certe si hanno a partire da quando divenne proprietà del poeta anglosassone Robert Browning, innamorato della cittadina, che scrisse il poema in versi pubblicato nel 1889 *Asolando*. È a lui che la Villa deve quel suo aspetto di casa fiorentina che per lungo tempo rimase casa di campagna dedicata al relax, alle riunioni di famiglia, al tempo delle vacanze. Dopo alterne vicende e passando per vari proprietari, viene trasformata in locanda e poi in albergo con la gestione di Giuseppe Cipriani. Nel 1962 alla fine di lunghi restauri apre col nome di Hotel Villa Cipriani. L'albergo è costituito da un edificio in due blocchi che danno un lato verso la vallata e l'altro sulle mura della città. All'interno, ben protetto, si apre un giardino di particolare bellezza, rilassante, chiuso alle spalle ma con lo sguardo aperto rivolto verso la campagna - a perdita d'occhio verso la pianura veneta - sui boschi, sui tramonti. Un giardino colmo di colori in tutte le stagioni, che in primavera vede il fiorire di rose rampicanti e cespugli che si abbarbicano intorno al pozzo, i melograni, le ortensie, le camelie...

Tutto contribuisce a creare l'atmosfera dolce e pacata di una casa molto raffinata, dove la classe è sottolineata dalla discrezione ma anche dalla consapevolezza di poter usufruire di tutta la professionalità e l'organizzazione di un albergo. Anche per questo il Villa Cipriani viene scelto spesso per i ricevimenti di nozze, una delle feste più intime e importanti della vita che può essere particolarmente chic se festeggiata in uno spazio che fa pensare al calore e all'accoglienza di una casa. E non sono solo le persone del posto che la scelgono per questa giornata. Asolo continua ad avere, come un filo conduttore lungo la sua storia, un rapporto particolare con un turismo più "stanziale" per il quale non ci si meraviglia se molti stranieri vengono qui, a Villa Cipriani, a festeggiare un matrimonio, organizzando trasferimenti di intere famiglie. Qui trovano una cucina sana e deliziosa, tutta impostata sull'uso delle erbe, delle carni selezionate, dei condimenti semplici. Qui si può gustare lo storico "Carpaccio" o il pesce che arriva freschissimo da Chioggia. Tra luglio e settembre arrivano i funghi dalle montagne da fare ai ferri con il formaggio Morlacco fuso, in inverno il radicchio di Treviso, sempre, le splendide tagliate di carne locale e il Tiramisù che pare sia nato proprio in zona. Che l'origine sia vera o no, questo di Villa Cipriani vale proprio la pena di provarlo! ■

Raviolo di zucca e funghi porcini

Fate rosolare i funghi interi in olio e aglio. Una volta cotti tagliuzzateli finemente. Saltate la zucca in padella con olio e un pezzetto di burro, tritatela finemente.

Mescolate i due triti insieme a un cucchiaio abbondante di mascarpone, aggiustate di sale. Fate una sfoglia di pasta con farina e uova e tagliatela in quadratoni di 10 cm di lato, farcitela con una parte del trito e richiudetela. Aiutandovi con un ramino mettete a cuocere ciascun raviolo in acqua bollente salata, poi scolatelo e adagiatelo su un panno ad asciugare. Mettetelo su un piatto caldo, condite con burro appena sciolto e aromatizzato con salvia e rosmarino, parmigiano grattugiato e, volendo, qualche pomodorino concassé. Aggiungete una spolverata di pepe.

INGREDIENTI

2	**uova**
300 g	**di farina**
200 g	**di funghi porcini del Grappa**
300 g	**di zucca**
50 g	**di burro**
30 g	**di parmigiano**
	olio extravergine di oliva
30 g	**di mascarpone**
	pomodorini concassé
	salvia, rosmarino
	aglio
	sale, pepe

Hotel Pitrizza
Costa Smeralda
Porto Cervo 07020
T. +39-0789-930111
F. +39-0789-930611

Avvolti dalla natura
dove l'orizzonte è più vicino

" ...qui una delle feste vere è proprio il matrimonio,
la cucina sottolinea l'evento con sontuosità,
senza perdere di vista sole, mare e una terra ricca
di sapori e sorprese "

Pitrizza in sardo significa pietra, roccia, e la pietra è l'elemento dominante delle strutture architettoniche di questo albergo. Qui le colonne che sorreggono la tettoia di canne del ristorante davanti alla piscina sono grandi rocce; piccole pietre sono quelle che nascondono le luci lungo i camminamenti del giardino e in pietra a vista sono le mura delle abitazioni ben distaccate le une dalle altre, in una struttura che si può abbracciare completamente con la vista solo dal mare. Giungendo via terra è tutto talmente ben mascherato, con i tetti bassi e coperti d'erba, immersi nel verde, che solo ad andarci molto vicini si può distinguere dove comincia una casa e ne finisce un'altra. La grande piscina col suo ampio spazio dedicato al sole e al relax si affaccia direttamente sul mare e in un bellissimo gioco prospettico maschera il punto in cui se ne separa tanto da sembrare che ci si tuffi direttamente nel Mediterraneo. Ovunque si respira un'atmosfera romantica e intima, privata e riservata in quest'albergo composto da sedici villette dove il decoro è realizzato in colori pastello delicati, dall'acquamarina al rosa, al bianco perlato, fino al legno naturale.

Un'atmosfera calda, accogliente, completata dai tessuti che decorano l'albergo, anche loro di artigianato sardo e forme che ricordano quelle delle case dell'entroterra, solide, importanti, ma semplicissime. Tutto è studiato in modo da garantire la privacy: più che in un albergo, sembra di entrare in un club dove l'ospite si sente a casa sua, con le consuetudini che si vivono e si rafforzano di anno in anno. Chi viene qui a trascorrere un periodo di vacanza è abituato ad avere sempre la stessa stanza, lo stesso tavolo, lo stesso ombrellone in spiaggia se vuole, e trova quasi sempre lo stesso personale che si prende cura di lui e con il quale instaura un rapporto molto intimo, di cordialità e confidenza.

L'ospite qui sceglie di fare una vacanza in spiaggia in assoluta tranquillità, spostandosi solo per un po' di shopping o per una cena fuori e di vivere l'albergo, i suoi spazi, la casa - una villetta con la sua terrazza vista mare - dove è piacevole trascorrere gran parte della giornata. ▷

Al fresco del patio protetto
dall'ombra delle cannucce tutto
è pronto per l'arrivo degli sposi.
Dallo sfondo del mare si stagliano
i cespugli di macchia mediterranea
che si offrono al paesaggio con
le loro intense sfumature di verde,
mentre le imbarcazioni al largo
continuano il loro passeggio
vacanziero.

Il bianco e l'avorio dei petali
delle rose rallegrano, con la loro
delicatezza e la loro suggestione,
i tavoli degli ospiti, mentre tutto
il personale si sta adoperando
per fare in modo che, questa,
sia una giornata indimenticabile.

Al Pitrizza, anche l'attenzione del personale è mirata a capire
e ad assecondare le esigenze dell'ospite: dai fiori preferiti
ai piatti più amati, tutto senza che neanche ci sia bisogno di chiedere.
È l'impegno più grande: conoscere il cuore dell'ospite e prevenire tutti
i suoi desideri cosicché si instaurino rapporti di consuetudine
e di amicizia che durino nel tempo. Questo è l'albergo ideale
per coppie che vogliano uscire per un breve periodo dalla routine
quotidiana, l'ideale per iniziare una vita di coppia, celebrare le proprie
nozze o per tornare a festeggiare gli anni che trascorrono.
È proprio per questo che l'albergo viene scelto e se anche i figli
di qualche "storico" ospite decidono di sposarsi al Pitrizza, i momenti
veri di commozione e l'attenzione per il benessere totale di sposi
e invitati sono davvero al massimo. La grande cura affinché tutto sia
perfetto nascerà dallo studio dei particolari, dalla ricerca dei dettagli
raffinati ed esclusivi, come lo è la cornice all'interno della quale
trascorrere questa importante giornata, e dal contributo di una cucina
che non farà mancare i piatti tradizionalmente richiesti
per gli eventi importanti ma anche quelli dei giorni "normali"
che per l'albergo sono sempre giorni straordinari - o dagli ospiti
nelle serate a bordo piscina...
Qui la festa vera è proprio il matrimonio, e la cucina sottolinea l'evento
con sontuosità, senza perdere di vista sole e mare e una terra ricca
di sapori e di sorprese. E allora il menu potrebbe comprendere
Scampi con zucchine, caviale e cipolla rossa di Tropea per cominciare,
o piatti con la *Fregula* (una specie di cuscus tradizionale più grosso)
e *molluschi* o *crostacei*; e ancora - ad esempio - una combinazione
di *Scorfano brasato con un brodetto di aragosta...* quello che comunque
non potrà mai mancare, sarà prima un piatto a base di agnello
e poi la *Torta nuziale* con una bella mousse di vino moscato sardo
con pesche e biscotti al caffè.

Sicuramente, nella composizione di menu più adatti al matrimonio e anche più divertenti, ci sono molti piatti della tipica cucina sarda, realizzati solo con ingredienti locali che lo chef va a cercare nella zona del Gennargentu, proprio al centro della Sardegna, dove ogni prodotto che si trova è quello giusto per la stagione.

Sono prodotti di fattoria e rigorosamente artigianali, dai salumi ai formaggi, dal miele alle verdure; per non parlare poi di quello che viene dal mare: crostacei, tonni ottimi per le tartare, pesci da marinare col limone, affumicati e ancora, primi piatti tipici come i Ravioli del Campidano: una pasta tirata abbastanza sottile, tagliata a quadri e riempita di ricotta, zafferano, arancio, tutti gli aromi insomma che si respirano da queste parti.

Anche nella scelta e nella proposta del menu si parte dalla conoscenza degli ospiti e dal rapporto profondo che qui si cerca sempre di creare: basta che passino davanti alla griglia e scambino due parole, perché il cuoco capisca i loro gusti ed esigenze e possa quindi proporre il giusto cibo. Perché il vero e grande motivo di orgoglio, in questo albergo, è la cura dell'ospite, sempre. ■

Carpaccino di pesche e biscotto giapponese

Fate bollire il vino con la metà dello zucchero.
Lavorate le uova con la maizena, lo zucchero vanigliato, il resto dello zucchero.

Quando il passito bolle unite l'impasto di maizena un poco alla volta, riportate sul fuoco e cuocere a 80° girando il composto in continuazione,

alla fine unite la gelatina precedentemente ammorbidita in acqua. Infine quando il composto è freddo unite la panna montata. Tagliate delle pesche nettarine finissime e fatele disidratare in forno a calore molto leggero per circa un'ora.
Frullare dei lamponi con dello sciroppo di zucchero.
A questo punto alternate le pesche disidratate con il biscotto giapponese e decorate con la salsa di frutta.

INGREDIENTI
4 **pesche nettarine**

PER IL BISCOTTO
3 **chiare d'uovo**
90 g **di zucchero**
60 g **di mandorle in polvere**
60 g **di maizena**
Unite tutti gli ingredienti lasciate riposare almeno una notte

PER LA CREMA
2 **rossi d'uovo**
1 **uovo intero**
60 g **di zucchero**
1 **cucchiaino di zucchero vanigliato**
1 **cucchiaio di maizena**
3 dl **di passito**
1 dl **di panna montata**
2 **fogli di gelatina qualche lampone sciroppo di zucchero**

Free Time

Presi nel ritmo frenetico della modernità,
concedersi del tempo libero è diventato ormai un
lusso, e allora viviamo questo momento come lusso
vero, in due degli alberghi più belli d'Italia, in un
clima informale, di avanguardia e di grande relax,
accompagnati da una cucina disinvolta ma intrigante e
dalle grandi tradizioni del bere miscelato.

Hotel Romazzino
Costa Smeralda
Porto Cervo 07020
T. +39 0789-977111
F. +39 0789-977614

Dove il lusso per bimbi
è il relax dei grandi

" ...qui si presta molta attenzione alla cura e all'intrattenimento
dei bambini per consentire ai grandi di godere
pienamente della loro vacanza e poter viver splendide serate in festa... "

L'Hotel Romazzino con la sua lunga, grande spiaggia sembra nato per regalare un soggiorno di totale relax e serenità a contatto con un mare splendido e rassicurante.

Ma la sua storia, in realtà, ebbe inizio con uno stile un po' diverso. Erano i ruggenti '70, gli anni delle feste sulla spiaggia fino al mattino intorno a una chitarra e al grande falò, erano gli anni degli abiti colorati, dei capelli lunghi, delle fughe in barca.

Poi con il passare del tempo la sua posizione, con una spiaggia comoda e ampia e uno stile di accoglienza che punta ad assecondare l'amenità del paesaggio, hanno contribuito a cambiarne il carattere. L'albergo si trova "alla fine della strada" e non subisce quindi l'aggressione delle automobili di passaggio, mentre la sua costa dal fondale piuttosto basso sconsiglia l'avvicinamento alle imbarcazioni più grandi. Uno degli spettacoli che danno maggior soddisfazione è l'incrocio di barche che vanno e vengono da Porto Cervo al Cala di Volpe... ma ben al largo, in quell'acqua della Costa Smeralda che riesce a mantenere tutti i colori per cui è famosa nel mondo intero. Qui si respirano lusso e ricchezza, ma non si vedono... qui tutto è semplice: il bianco delle casine che sembrano appartenere a un piccolo castello spicca in mezzo alle montagne, immerso tra le rocce.

Tutto è protetto dal mare in una posizione particolarmente isolata e adatta a chi vuole vivere un periodo di grande tranquillità. E vivere è il termine giusto perché il Romazzino non è un albergo "di passaggio", ma piuttosto un luogo dove stare, dove portare i propri bambini e dove tornare, di anno in anno, con i figli sempre più grandi che torneranno con i loro figli... la "fedeltà" è una delle caratteristiche principali che contraddistingue gli ospiti. ▸

Un salotto sulla spiaggia, una corsa
a piedi nudi, una romantica
passeggiata notturna in riva al mare.
In questo contesto si possono
passare tante serate di classe
ma anche all'insegna della libertà
dalle consuetudini e della
piacevolezza dell'insieme.
Una cucina gustosa e molto varia,
cocktail e vini scelti con grande
cura, in una dimensione di festa
che dura tutta la stagione.

Grandi vassoi di frutta fresca
decorata e abilmente intarsiata
moltiplicano la bellezza
della location. Il raffinato gusto
per le decorazioni si ritrova
sui tavolini dove conchiglie e fiori
contestualizzano ancora
di più l'ambiente di mare, di
vacanze e di grande, festoso, relax.

È per questo, per dare la possibilità ai giovani genitori di godere del loro periodo di riposo, che al Romazzino si presta tanta attenzione alle esigenze dei più piccoli. Qui i bambini sono trattati con le stesse attenzioni e comfort che si prestano agli adulti: ricevono una *welcome card* al momento della prenotazione, trovano al loro arrivo in camera una serie di gadget che li fanno sentire protagonisti, piatti, tazze e vasetti con le forme di animaletti, menu appositamente studiati per loro, posatine e attenzioni che, insomma li avvolgeranno fin dal loro arrivo e li riempiranno di coccole.

Appena appartato rispetto alla spiaggia hanno tutto per loro un piccolo villaggio completo, il *Toy club*, dipinto come "le case dei grandi" di Porto Cervo, con una banca, la chiesetta, un mini campo da golf e altro

ancora che consente loro di vivere delle giornate piene e divertenti nello stesso albergo dove, per le sue caratteristiche di lusso e comodità hanno deciso di stare i loro genitori.

La famiglia potrà godere di una vacanza stando tutti insieme ma liberi e tranquilli al tempo stesso. E se a pranzo si riuniscono per il *family time* intorno al barbeque dove una dose di vivacità ed esuberanza in più è ben gestibile, di sera i bambini mangiano in orari diversi da quelli degli adulti per lasciare alla serata il giusto clima di relax. Ecco perché qui gli adulti possono vivere la loro vacanza con la famiglia, ma in completa autonomia, così che anche le feste e i party sulla spiaggia continuano a essere un momento piacevole e spensierato di intrattenimento.

Anche se qui le feste non arrivano mai fino alle ore troppo "piccole" perché la tranquillità esige comunque il rispetto dei suoi ritmi.
I *beach party*, che per loro definizione sono piuttosto spartani e vissuti a piedi nudi sulla spiaggia con un abbigliamento disinvolto e grande libertà di movimento, sono integrati dalla possibilità di stare in una zona coperta dove si ricreano il salotto, l'atmosfera intima della festa e del cocktail party. E dove, perché no, maggiore visibilità e glamour. Durante queste feste molti ospiti arrivano anche dal mare: lasciano al largo i loro yacht, si uniscono alla festa e poi tornano via mare alle loro barche.
Il Romazzino riserva grande attenzione alla cucina e alla soddisfazione totale degli ospiti. Grandi, stupendi buffet dove il cibo è anche decoro: una cucina dinamica e divertente propone fino a centocinquanta piatti diversi, permettendo ogni giorno assaggi e sfizi per tutti i gusti.
Dominano i sapori freschi, i prodotti mediterranei con uno sguardo particolare ai menu della tradizione sarda, ma anche una strizzatina d'occhio alle tendenze e alle mode dell'alta cucina internazionale e agli stili che provengono dagli altri angoli del mondo. ■

Aragosta con verdure estive

Preparate un brodo buono per cuocere l'aragosta (l'acqua di mare è eccezionale per la cottura dei crostacei) e cuocetela per 15 minuti.

Tagliate le verdure a fiammifero e marinatele con olio, aceto di Champagne, sale e qualche foglia di mirto.
Togliete l'aragosta dal carapace, tagliatela per la sua lunghezza, pulitela dalle interiora.
Disponete le verdure sul piatto, posizionatevi sopra l'aragosta e insaporite con la riduzione di mirto. Irrorate il piatto con olio extravergine di oliva.

INGREDIENTI

400 g	**di aragosta**
50 g	**ciascuno di carota, gambo di sedano, zucchina, mango, papaya**
1	**bicchiere e mezzo di mosto cotto e mirto**

foglie di mirto per la marinatura
olio extravergine di oliva
aceto di Champagne
sale

Sheraton Diana Majestic
Viale Piave 42
Milano 20129
T. +39-02-20581
F. +39-02-2058 2058

Va in scena l'aperitivo nel regno del design

Una volta era la Milano da bere. Oggi è molto di più. È la città della moda, delle grandi sfilate, dei nuovi creativi e di quel ritmo sincopato scandito dai tempi del lavoro e degli affari, ma anche dal riscoperto bisogno di qualcosa che vada oltre il luogo comune per cui Milano avrebbe poco da offrire ai milanesi e ai loro ospiti. Ma chi guarda con gli occhi curiosi e un po' incantati del visitatore, alzando gli occhi verso le facciate in perfetto liberty, può pensare di essere stato catapultato in una Parigi solo più severa, o passando per strade costellate da insegne scritte in arabo o giapponese, può immaginare di essersi perso per viali di città esotiche; e chi è attento a sbirciare dentro un portone lasciato socchiuso potrebbe scoprire il fascino di un'atmosfera riservata e l'intensa voglia di calore e intimità. Lei, Milano, che è la città dei non milanesi, di coloro che si aspettano di trovare tanto e che lo pretendono a costo di doverlo creare, è anche la città che sa fermarsi per andare alla ricerca di un modo per distrarsi, per riuscire a comunicare oltre il muro del business e della finanza. ▸

Ambiente giovane e pieno
di grinta, di tendenza e ricco
di glamour, questo è quel
che si trova all'*h club > diana*,
appuntamento da non perdere
con l'aperitivo della sera
e con tutto quello che fa moda.
Un luogo dove il fascino
della tradizione e la tecnologia
all'avanguardia si fondono
e trovano un loro spazio unico
e non riproducibile altrove.

L'impronta tecno è sottolineata da una decorazione composta da sfere d'acciaio rivestite di girasoli. Ai fiori sono stati tolti tutti i petali, una tendenza molto cool, quella di intervenire sulle forme lasciando intatta, in questo caso, la sostanza di un decoro floreale. Tutto è molto in linea con l'ambiente che diventa la vetrina per il design d'avanguardia e per le nuove sperimentazioni grafiche.

Sono i desideri, i bisogni e i sogni stessi di chi ci vive a identificarla come il luogo dove si può fare e chiedere tutto. Ecco perché tra i vari altri, anche il rito dell'aperitivo è diventato un momento irrinunciabile del fine giornata, esigenze ben interpretate nelle atmosfere dell'Hotel Sheraton Diana Majestic che con l'inizio del nuovo millennio è diventato "il locale più trendy", il luogo dove ci si può incontrare per iniziare o finire la serata, per continuare a lavorare o trascorrere una pausa in relax, o anche solo per farsi vedere, complice un ambiente naturale unico e una grande capacità nell'interpretarlo. Oltre il rigoroso e austero ingresso all'albergo, al di là del foyer, si apre uno dei pochi, grandi giardini della città in una serie di spazi arredati che seguono, o addirittura riescono ad anticipare le tendenze del design europeo, per arrivare a creare degli angoli dove la gente possa ritrovarsi, dove si mischiano e si riconoscono gusto, estetiche e tendenze diverse. Il giardino di questo albergo accoglie i diversi mondi di coloro che dal martedì al giovedì rimangono in città e vivono uno spazio verde dall'atmosfera a volte retrò, a volte multietnica, a volte assolutamente ispirata all'ultima moda, frutto della ricerca continua e mai risolta di una identità. Il "Diana di Milano" era indissolubilmente legato alla moda già prima ancora della sua nascita, da quando l'attuale grande giardino era solo una parte della prima piscina pubblica italiana inaugurata a fine '800, riservata in realtà solo al bel mondo, circondata com'era da sale da tè e ristorantini, sale per le feste e per i giochi, camerini e docce.

In seguito vennero iniziati i lavori di costruzione dell'albergo, contrariamente a quanto era sempre accaduto prima, quando erano i palazzi preesistenti a essere adibiti ad alberghi, e la grande piscina poco per volta fu coperta. Qui a metà del '900 è nata l'Accademia Italiana della Cucina, qui hanno lavorato e sfilato alcuni dei più grandi stilisti italiani tanto che tuttora, per il suo stile e il suo fascino, è il set ideale per le foto di moda, eventi glamour, presentazioni e passerelle.

Le Tre Capesante

Pulite accuratamente sotto l'acqua corrente le capesante in modo che tutta la sabbia e i detriti vengano eliminati, asciugatele su un panno di cotone e mettetele in marinatura per circa un'ora con olio, aglio, aneto e cerfoglio. Togliete le capesante dalla marinatura, dividetele in tre gruppi da quattro capesante ciascuna ed eseguite cotture diverse: il primo gruppo cuocetelo alla griglia, condite con olio extravergine di oliva, sale e pepe; le tre capesante del secondo vanno svuotate come un canestrino e riempite con la scamorza, i pomodorino e le olive nere tritate molto finemente poi messe in forno a 180°C per 5 minuti; le ultime quattro del terzo gruppo tagliatele come una classica tartare e condite semplicemente con olio extravergine di oliva, sale, limone e mentuccia.

Per le guarnizioni sotto le capesante usate dei tagliolini di zucchine fatti sbianchire in acqua bollente salata poi raffreddati e conditi con olio extravergine di oliva. Il corallo, separato e scottato in padella, due bastoncini di lemon grass fritti. Per la composizione utilizzate un piatto di portata grande, posizionate su ciascun piatto le tre diverse capesante, quella cotta alla griglia sui coralli, quella ripiena sulle zucchine, e la tartare poggiata sui bastoncini di lemon gras, guarnite le tre capesante con cerfoglio, salsare con il fumetto allo zafferano, decorare il piatto con olio al basilico e riduzione al vino rosso.

INGREDIENTI

12	**capesante**
	foglie di basilico
	aglio
4	**pomodorini**
	sale
	olive nere
	olio extravergine di oliva
	aneto
	cerfoglio
2	**zucchine**
4	**fettine di scamorza**

corallo (uova di crostacei)

fumetto (brodino di pesce ristretto) aromatizzato allo zafferano

riduzione al vino rosso (ristretto sul fuoco)

olio aromatizzato al basilico

bastoncini di lemon grass

i il Diana ha rinforzato l'immagine di "sede della mondanità" un bar che cambia pelle e scenografie ogni anno ad opera esigner e artisti che si mettono in mostra, essi stessi, e lanciano lenze. Il tempo dell'intrattenimento è scandito dal ritmo a musica e dei drink che colorati e allegri ondeggiano tra le mani i si muove tra sedili e muretti, sui sentieri intorno alla fontana, esco sotto i grandi alberi. È qui che va in scena il rito aperitivo, dal buon bicchiere di vino ai sempreverdi mohjto, onic, dal modaiolo "negroni sbagliato" al Pim's e alla caipiriña: o è accompagnato da ricco e divertente *finger food* o che ci si può tranquillamente dimenticare della "cena" e passare la serata mangiando in maniera decisamente più sciolta, rtente e informale. Così, le mozzarelline farcite con pomodorino silico sono rinfrescanti dopo un assaggio di gamberi mpura, il carciofo ripieno con scamorza si alterna a focaccine prosciutto e poi tonno scottato per gusti collaudati e cous cous aspirazioni etniche si alternano alle esotiche insalate di astice ocado o mango con gli scampi, passando per le torte rustiche tante paste calde o fredde. repertorio di assaggi che stuzzica e spinge a rimanere u possibile ad assaporare ambienti e aromi di una Milano sempre nuova e originale. ∎

L'apparecchiatura della tavola ha uno scopo fondamentale: preparare il commensale all'evento che si sta celebrando e accompagnarlo durante tutte le fasi della consumazione del pasto. La nascita di questo rito ha origini molto lontane. Era sconosciuto ai greci e ha iniziato a svilupparsi alla fine della Repubblica Romana: acquista un valore sacrale e poi si allarga alla vita di tutti i giorni. Oggi abbiamo una gerarchia ben codificata di vasellame e posate e della loro disposizione, che è conseguenza dello sviluppo di una serie di elementi importanti per il corretto svolgimento del rito: gli oggetti, appunto. Ai giorni nostri disegno industriale e artigianato fanno a gara per soddisfare le più varie richieste che comunque vanno verso la ricerca di linee essenziali, funzionali e a base di materiali sempre più studiati e tecnologici.

Ogni oggetto risponde a una domanda ben precisa e ha una specifica funzione: una sua collocazione nello spazio e nel tempo. Attraverso gli oggetti e il loro codice di dialogo arriva una comunicazione immediata. Tutto è già stabilito, verificato e dichiarato. Al suo arrivo il commensale troverà una tavola già pronta a dare il benvenuto: è questo un momento importante in cui la *Mise en place*, appunto, fa capire a quale tipo di tavola si sia chiamati, il tipo di evento che si deve festeggiare, il livello di lusso e classe con il quale saremo serviti, i piatti che andremo ad assaggiare. Ecco perché ogni oggetto è così importante. Se riconoscere grande dignità al cibo vuol dire rispettare gli ingredienti e il lavoro delle persone che ci accompagnano nel corso di una cena, gli oggetti acquistano un valore in più: si tratta di celebrare un evento importante e unico. Sono tutti i cinque sensi ad essere colpiti favorevolmente da una bella tavola. Se l'addobbo è solo funzionale all'utilità o al galateo, gli altri sensi si ribelleranno. Il look della tavola, nel suo complesso, deve essere elegante ma snello, caldo ma meticolosamente accurato e studiato. Tutto quello che coinvolge la vista deve avere un'importanza primaria, la tavola deve essere lussuosa e intima allo stes-

Le forme

fenomenologia della forchetta

dell'eleganza

so tempo: deve trasmettere un'emozione che sia di spessore, complessa, ma quasi primordiale allo stesso tempo, semplice, radicale. Il lusso deve essere in armonia col tutto, non deve togliere niente ad altri elementi come i profumi e i colori. Preparare una tavola significa mettere insieme le esperienze i valori che ciascuno ha come suo bagaglio culturale: le emozioni, il vissuto di ciascuno dei professionisti che mettono in scena lo spettacolo della bella tavola. Il lusso è una cosa semplice, anche minimalista: non un elenco di suppellettili e ammennicoli ■

Preziose trame

Nella presentazione degli oggetti che appaiono su un tavolo, la tovaglia, che è il fondamentale strumento dell'eleganza, ha avuto una crescita culturale e materiale molto lineare. Si può dire che il suo uso consapevole è nato intorno al primo secolo dopo Cristo, anche se teli e tappeti di vario tipo, formato e spessore sono descritti già in epoche precedenti. Dell'uso delle tovaglie bianche si ha traccia nel medioevo grazie alla testimonianza di un'ampia serie di affreschi, e al '200 risale la nascita delle "tovaglie perugine" - lino bianco decorato con fasce blu a motivi geometrici o figurati, tuttora in produzione -. Il Rinascimento è ricco di tovaglie di lino bianche, come dimostrato da numerosi affreschi mentre il 1700 vede sulle tavole uno sfoggio di ricami, inserti, pizzi e merletti di influenza spagnola, che ben presto si diffondono un po' ovunque, favorendo la nascita di manifatture tessili e di eserciti di mer-

lettaie e ricamatrici: bisogna soddisfare quell'esigenza di lusso che per i tessuti coinvolge trasversalmente, nei limiti delle possibilità, tutte le fasce sociali. Alla fine del secolo appaiono le tovaglie di Fiandra, di puro lino, candide, con disegni opachi su fondo lucido, che rappresentano, anche ai nostri giorni, uno dei più alti esempi di lusso ed eleganza della tavola. I tovaglioli cominciano ad apparire intorno al '500 e risulteranno sempre più presenti nel corso dei due secoli successivi, spesso come elementi usati per puro piacere estetico prima che funzionale. Ai nostri giorni il tovagliolo, discreto e funzionale, è un oggetto intimo e personale, che si adagia quasi affettuosamente sulle gambe durante tutto il pasto e che alla fine... un po' spiegazzato, si abbandona con noncuranza lì, su quel tavolo a cui ha fatto tanto onore! ■

Smalti e porcellane

Piano, fondo, largo, stretto, tondo, quadrato, ma bello, sempre più bello, sempre più un punto di forza della tavola e del design. Parliamo del piatto. E pensare che una volta era solo una tavoletta, un supporto indefinito per qualcosa da mangiare. Poi la fantasia e la capacità di usare materiali diversi gli hanno dato una identità propria come oggetto e anche come espressione artistica nel corso dei secoli. Oggi addirittura dialoga con l'estro degli chef che amano sempre più mandare in tavola un piatto dove sia già stato definito l'equilibrio di gusti e dei profumi laddove si materializza la spinta creativa nella composizione delle forme e dei colori del cibo. Il piatto non è più solo il contenitore, ma meglio, il mezzo, con il quale lo chef stabilisce il primo contatto con l'ospite. Deve anticipare agli occhi quel che poi il palato verificherà nel contatto diretto col cibo. Il piatto è dunque fondamentale strumento nella ricerca di un'armonia complessiva della tavola che comincia dal gesto stesso con cui viene offerto ai commensali. Le regole sono ben definite nell'arte del servizio - il piatto si porge a tavola da sinistra e si toglie rigorosamente da destra; il principio ispiratore di tutto il servizio

deve avere al centro il benessere dell'ospite: pur sentendosi curati e seguiti, i commensali non debbono avere nessun disturbo dal servizio che deve seguire il "rituale" come se fosse la cosa più naturale del mondo. E la "scarpetta"? Il rito del servizio prevede uno spazio per questo gesto goloso con cui si "pulisce" il piatto dalle ultime gocce di delizie per il palato utilizzando un pezzetto di pane? Beh, le regole oggi puntano molto all'informalità della tavola, pur senza nulla togliere all'eleganza. Così, una scarpetta elegante non può certo far male a nessuno! ■

Design gourmet

S ono stati tra gli ultimi oggetti ad apparire sulle tavole moderne, ma ora sono tra quelli che hanno una maggior fantasia di forme legate alla loro funzione. La prima forchetta venne poggiata su una tavola imbandita poco meno di seicento anni fa e il coltello, le cui origini come strumento si perdono nella notte dei tempi, viene utilizzato come oggetto da tavola solo a diciassettesimo secolo avanzato. Oggi le posate, che siano d'argento o d'acciaio inossidabile, sono elementi molto suggestivi: sono gli oggetti che si tengono per più tempo in mano, è importante sentirne consistenza e peso, e che la loro forma dia piacere e inviti al contatto con la bocca. L'eleganza di una posata fa da cornice al piatto, il metallo rimanda effetti di colori e di luce: forchette e coltelli danno ritmo, movimento alla tavola. Se un tempo sono stati anche esibizione di uno status symbol, con sfoggio di argenti e materiali preziosi, oggi le posate sono più legate all'essenzialità della loro funzione ed uso. E, oltre alle forme, conta la "forma". Il galateo vuole il coltello alla destra del piatto, con la lama rivolta verso l'interno; la forchetta

va alla sinistra -in quanto ultima arrivata nella civiltà della tavola- con i rebbi rivolti verso l'alto. Se necessario, il cucchiaio è posto alla destra del coltello. Posizioni che suggeriscono anche un percorso del mangiare. Ideale, per non appesantire gli spazi dei commensali, è portare ogni volta le posate che sono necessarie al consumo del piatti che verranno serviti. Durante il pasto, quando ci si ferma un attimo per conversare, le posate vanno appoggiate quasi a triangolo sul piatto, e con la punta in giù, ad indicare la loro situazione attiva, ma sempre al suo interno. Mentre, finito di mangiare, si mettono appaiate posizionate tra i 15 e i 25 minuti: è il segnale per il cameriere che può togliere il piatto. ■

Cristalli & Co.

bicchiere, deve aspettare fino al 1500 per essere realizzato in vetro
ncolore. Il suo percorso nella storia lo mette in vista in quanto
to portato a diventare oggetto prezioso e raffinato, originale nelle
me. In più quello di oggi è il risultato di una serie di studi precisi che
no lo scopo primario di esaltare il liquido che deve ospitare. La
ma influenza la degustazione, è per questo che per ogni vino è stato
diato il bicchiere adatto. Ad esempio per gli spumanti, gli Champagne
ende ad usare sempre di più un bicchiere dal calice abbastanza largo
con la base che si insinua a punta nello stelo e consente alle bolli-
e di liberarsi festosamente. I bicchieri per i vini bianchi sono media-
nte meno ampi di quelli per i rossi, che possono sfruttare una super-
e maggiore per poter liberare tutti i loro profumi. Per il dessert, poi,

vanno bene bicchieri piccoli, per mantenere concentrati i profumi e i
sapori che li contraddistinguono. Sulla tavola da pranzo i bicchieri
sono posizionati in alto leggermente alla destra del piatto. Ma poiché
in un pasto si usano tanti bicchieri quanti sono i vini che si servono,
è preferibile che vengano sostituiti di volta in volta, evitando una iniziale ingombrante esposizione. I bicchieri che non servono vanno tolti
prima del dessert. I bicchieri per il vino non vanno mai riempiti, ma
serviti poco oltre la metà e non oltre i due terzi del calice. Il deside-
rio di non ricevere altro vino si esprime con un gesto discreto, senza
coprire con la mano il bicchiere che va sempre preso per lo stelo
affinché il calore della mano non ne alteri la temperatura, tranne che
quello del Cognac, che invece ha bisogno di quel calore per esprimere al massimo i suoi profumi. ■

L'eleganza di un break

Le porcellane sono parte integrante e profonda della nostra storia e del nostro gusto, ma appartengono a quella categoria di oggetti la cui storia viene in realtà da molto lontano e che si sono poi diffusi in tutto il mondo legandosi a riti e a consuetudini diverse nei vari Paesi. Ad esempio, il rito del thè tra i popoli anglosassoni e quello tra i popoli orientali si è evoluto in modi e stili codificatisi poi in modi diversi. Il rito del caffè nei paesi medio orientali è ben diverso dalla "tazzina" di caffè che conosciamo in Occidente. Così come il cappuccino del bar appartiene a esigenze e momenti molto diversi dal caffellatte dei nostri bimbi al mattino. Eppure vedere tazze e tazzine richiama subito al sentimento delle coccole e al momento del "piacere" intimo. Una tazzina sul vassoio, con il suo giusto corredo di piattino e cucchiaino, vasetto per lo zucchero, o zuccheri e zollette di vari tipi come spesso accade, un piattino un po' più grande che aspetta di ricevere un dolcetto, un biscotto, un cioccolatino, tutto contribuisce a creare il momento di pausa, di relax, di piacere legato ai ricordi e al proprio mondo intimo familiare. Un mondo davanti al quale non si può passare indifferenti. Ed è veramente un gran bel piacere! ■

Lo stile del bere

N on sono solo gli oggetti a comporre l'eleganza di una tavola. I gesti e i modi di chi si muove intorno al commensale e mette in scena dunque il "rito della tavola" sono altrettanto importanti, se non anche di più. Per questo nei secoli si è affinata l'arte di svolgere un ruolo seguendo formule ben precise. La ritualità del bere il vino ha un suo profondo motivo di esistere. Vuol dire riconoscere in parte la "sacralità" di quel nettare e offrire il rispetto per il lavoro dell'uomo che è riuscito a carpire i segreti profondi della natura e dei suoi prodotti, avere rispetto della natura stessa. Anche l'acqua, fondamentale per la vita, a tavola diventa un elemento di grande eleganza se servita nei bicchieri adatti, se scelta con cura tra le innumerevoli qualità in commercio, se apprezzata per il suo gusto. Una tavola preparata con cura non mancherà di valorizzare la tipologia delle acque che accompagneranno il pasto, né di dare ai commensali la possibilità di selezionare quella più gradita. Il vino poi, che offre una possibilità infinita di scelte, richiede invece un rito molto più complesso e diventa un codice di comportamen-

to, anche se non deve mai essere un banco di prova per il cliente che siede a tavola. Piuttosto, ha bisogno di essere presentato da persone perfettamente competenti che sapranno garantire una scelta in assoluto relax. È del sommelier il compito di aprire la bottiglia e testimoniare al cliente la qualità del prodotto servito, che deve essere poi assaggiato anche da chi, in tavola, si prende la responsabilità di scegliere per tutti. In una tavola elegante, comunque, non ci si dovrà mai preoccupare di verificare le giuste temperature, quantità e modalità del bere. Tutto è "già stabilito" e ci si può godere il gesto con il quale il vino viene versato, apprezzarne il colore, i primi profumi che sprigiona, l'eleganza con la quale si ferma proprio lì, nel nostro bicchiere, pronto per essere gustato fino all'ultimo sorso. In fondo il lusso è anche questo. ■

L'arte del centrotavola

L'estetica della tavola si gioca tutta sugli oggetti con cui è allestita. Strumenti funzionali per l'uso che se ne deve fare, arricchiti da materiali e design che ne determinano il livello di importanza, ma tutti accomunati dall'essere indispensabili, mai superflui al rito del pasto. Solo a un elemento è concessa l'assoluta mancanza di funzione, a parte ovviamente quella puramente estetica: il centrotavola. Superfluo, spesso ingombrante, frequentemente suggestivo, a volte giocoso, a volte prezioso, ricco o realizzato con materiali poveri, indipendente ma suggestionato dalle mode: a lui è comunque legato molto del successo di una bella tavola, e a lui è affidato il compito di definire, già al primo colpo d'occhio, il carattere della serata. Non a caso una definizione del tipo "cena a lume di candela" già racconta tutto rispetto alle sensazioni e alle aspettative dell'incontro... ed è vero che più la serata è importante e più ci si aspetta di vedere una tavola elaborata, pensata, proposta con emozione. Il centro tavola cattura l'attenzione, provoca commenti, troneggia sui piatti che arrivano, sulle persone che parlano, sulle luci dell'ambien-

te... Spesso sono i fiori ad avere questo privilegio ai quali si chiede solo di non avere profumi eccessivi, per il resto tutto è concesso. I fiori raccontano la stagione che ci ha accompagnati fino alla soglia del ristorante e che ci attende all'uscita, ci parlano del luogo nel quale ci si trova e sottolineano l'avvenimento che si sta festeggiando: una rosa non può mancare sulla tavola romantica o un'orchidea su quella raffinata, un agrifoglio dalle bacche rosse sulla tavola di Natale o un fresco fiore primaverile su quella di Pasqua... L'importante è che la loro composizione non copra la vista tra i commensali o non limiti nei movimenti. Insomma, sul centrotavola si può scatenare qualunque fantasia, ben sapendo che come sempre devono prevalere su tutto il buongusto e l'eleganza. ■

Arredi e atmosfere

I mobili e gli oggetti d'arredo sono il linguaggio, il codice della casa. Inseriti nel contesto di un albergo sono il segno che lo caratterizza e lo distingue da tutti gli altri alberghi, ne fanno un posto che si individua tra i tanti e che con il suo stile condiziona umori e movimenti degli ospiti e dello staff. Per questo individuare utilizzare un arredo è tanto importante: guiderà le scelte degli ospiti, i loro movimenti, sarà complice delle loro emozioni e dei gesti di chi si deve prendere cura di loro. L'arredo di una sala non è solo in funzione della praticità o della bellezza. Piuttosto è indice di uno stile scelto con criterio selettivo e rivela la capacità di ricerca sui sentimenti degli uomini, è la spina dorsale di un mondo che viene vissuto - anche se solo per poche ore - in modo totale e assoluto. Una poltrona avvolgente invita a sedersi, ma se ha abbastanza spazio vuole anche una compagnia numerosa. Una sedia può farci decidere se restare seduti a goderci il momento di attesa per un pranzo, un cocktail o un caffè. Uno sgabello ci mantiene seduti, ma in modo attivo, propositivo, in uno stato di attenzione verso sé e verso gli altri. Così come un mobile ci invita ad appoggiare un braccio per

segnare la propria presenza nella sala, o come punto di riferimento durante una conversazione… insomma un mobile può essere molto di più di un oggetto, se pensato e interpretato sia da chi lo fa che da chi lo usa. E come sempre, dietro a tutto questo c'è il lavoro e il sentimento degli uomini. ■

Ricette

I partner che hanno contribuito alla realizzazione del volume

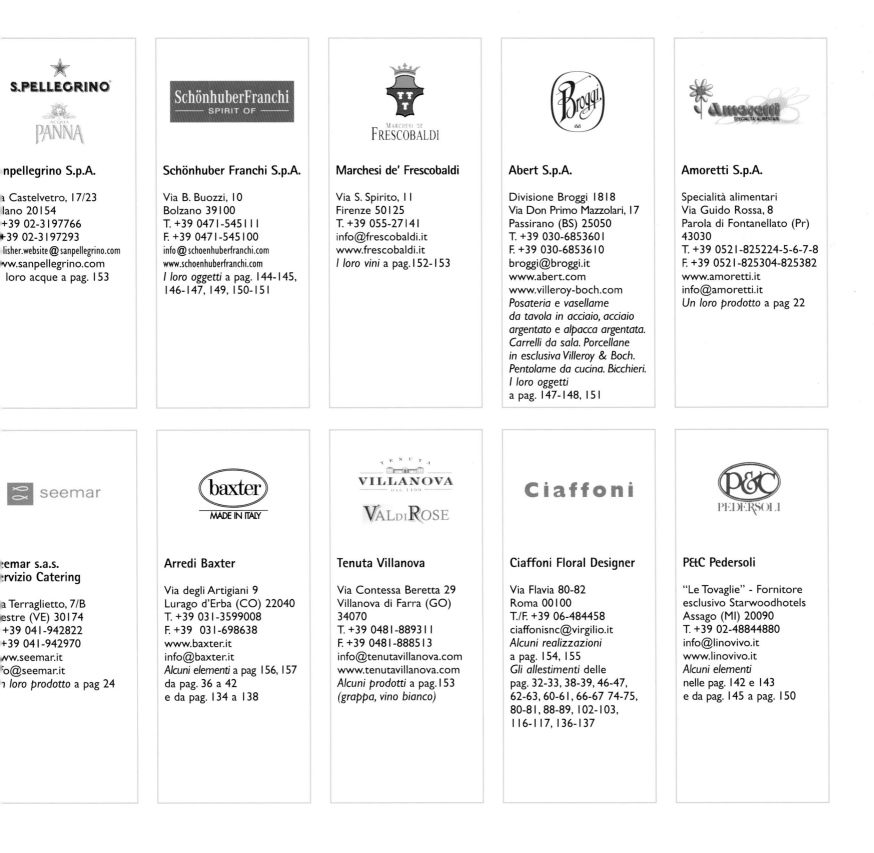

...npellegrino S.p.A.

...a Castelvetro, 17/23
...lano 20154
...+39 02-3197766
...+39 02-3197293
...lisher.website@sanpellegrino.com
...vw.sanpellegrino.com
...loro acque a pag. 153

Schönhuber Franchi S.p.A.

Via B. Buozzi, 10
Bolzano 39100
T. +39 0471-545111
F. +39 0471-545100
info@schoenhuberfranchi.com
www.schoenhuberfranchi.com
*I loro oggetti a pag. 144-145,
146-147, 149, 150-151*

Marchesi de' Frescobaldi

Via S. Spirito, 11
Firenze 50125
T. +39 055-27141
info@frescobaldi.it
www.frescobaldi.it
I loro vini a pag.152-153

Abert S.p.A.

Divisione Broggi 1818
Via Don Primo Mazzolari, 17
Passirano (BS) 25050
T. +39 030-6853601
F. +39 030-6853610
broggi@broggi.it
www.abert.com
www.villeroy-boch.com
*Posateria e vasellame
da tavola in acciaio, acciaio
argentato e alpacca argentata.
Carrelli da sala. Porcellane
in esclusiva Villeroy & Boch.
Pentolame da cucina. Bicchieri.
I loro oggetti
a pag. 147-148, 151*

Amoretti S.p.A.

Specialità alimentari
Via Guido Rossa, 8
Parola di Fontanellato (Pr)
43030
T. +39 0521-825224-5-6-7-8
F. +39 0521-825304-825382
www.amoretti.it
info@amoretti.it
Un loro prodotto a pag 22

**...eemar s.a.s.
...rvizio Catering**

...a Terraglietto, 7/B
...estre (VE) 30174
...+39 041-942822
...+39 041-942970
...vw.seemar.it
...o@seemar.it
...loro prodotto a pag 24

Arredi Baxter

Via degli Artigiani 9
Lurago d'Erba (CO) 22040
T. +39 031-3599008
F. +39 031-698638
www.baxter.it
info@baxter.it
*Alcuni elementi a pag 156, 157
da pag. 36 a 42
e da pag. 134 a 138*

Tenuta Villanova

Via Contessa Beretta 29
Villanova di Farra (GO)
34070
T. +39 0481-889311
F. +39 0481-888513
info@tenutavillanova.com
www.tenutavillanova.com
*Alcuni prodotti a pag.153
(grappa, vino bianco)*

Ciaffoni Floral Designer

Via Flavia 80-82
Roma 00100
T./F. +39 06-484458
ciaffonisnc@virgilio.it
*Alcuni realizzazioni
a pag. 154, 155
Gli allestimenti delle
pag. 32-33, 38-39, 46-47,
62-63, 60-61, 66-67 74-75,
80-81, 88-89, 102-103,
116-117, 136-137*

P&C Pedersoli

"Le Tovaglie" - Fornitore
esclusivo Starwoodhotels
Assago (MI) 20090
T. +39 02-48844880
info@linovivo.it
www.linovivo.it
*Alcuni elementi
nelle pag. 142 e 143
e da pag. 145 a pag. 150*

Taste in décor an italian experience

Un ringraziamento speciale a Mario Chessa, Lucilla De Luca, Marco Ferrari, Michele Ghirra, Robert Koren, Alessandro Innocenti, Gianfranco Masiero, Paul Tribolet per il contributo dato alla realizzazione del volume

Testi e Coordinamento Editoriale
Rosanna Ferraro

Foto Editor
Rossella Fantina

Fotografie
Gianni Franchellucci, Marinella Paolini

Progetto Grafico
Studio Agazzi, Milano

Le foto da pag. 142 a pag.155 sono state realizzate presso il St. Regis Grand Hotel di Roma.
Tutte le altre foto sono state realizzate nei vari hotel.
Le foto di pag. 65-120 courtesy of Starwood.

Gambero Rosso®
G.R.H. SpA via Angelo Bargoni, 8 00153 Roma
tel. 0039-06-5852121 fax 0039-06-58310170
www.gamberorosso.it e-mail libri@gamberorosso.it

Direttore Editoriale Libri
Laura Mantovano

Responsabile Produzione
Roberta Scrollini

Direttore Commerciale
Francesco Dammicco

Stampato nel mese di novembre 2005 da Press R3, via Partigiani 29, 24030 Almenno S. Bartolomeo (BG)